Los hombres te han hecho mal

En cubierta: foto de © Magnum Photos / Contacto
Diseño gráfico: Gloria Gauger
© Ernesto Mallo c/o Guillermo Schavelzon & Asoc.,
Agencia Literaria, www.schavelzon.com, 2012
© Ediciones Siruela, S. A., 2012
c/ Almagro 25, ppal. dcha.
28010 Madrid. Tel.: + 34 91 355 57 20
Fax: + 34 91 355 22 01
www.siruela.com
ISBN: 978-84-9841-706-7
Depósito legal: M-29.533-2012
Impreso en Closas-Orcoyen
Printed and made in Spain

Papel 100% procedente de bosques gestionados
de acuerdo con criterios de sostenibilidad

Ernesto Mallo

Los hombres te han hecho mal

El tercer caso del comisario Lascano

Siruela

Nuevos Tiempos

Pero, en los estratos inferiores de la sociedad civilizada, sólo la escasez para la subsistencia puede poner límites a la continua multiplicación de la especie humana; y no lo puede hacer de ninguna otra manera que mediante la destrucción de gran parte de los niños que producen sus fructíferos matrimonios.

Adam Smith, *La riqueza de las naciones*

Las «chicas» se dividen en tres clases: «las locas sueltas», aquellas que trabajan por su cuenta; «las que tienen marido», es decir, un vividor; y «las que lloran», quienes llegan a la prostitución engañadas o secuestradas. En algún momento todas terminan siendo de «las que lloran».

Informante confidencial

1

La primavera de Buenos Aires es adolescente y temperamental. Frío, calor, lluvias repentinas, frío nuevamente. Hace varios años que el municipio no poda los plátanos. Frondosos como nunca, dejan caer una nevisca de esa pelusa que Lascano hace responsable de su congestión. Al acecho entre las sombras de esos árboles malvados, la nariz goteando, la mente embotada por los mocos y la visión traicionera, cada ráfaga le produce un temblor eléctrico. Trata de apaciguarlo cambiando el peso del cuerpo de un pie a otro, lenta y repetidamente. Espera desde hace horas en el barrio dormido. No va a irse de allí, no va a dejarlo escapar. Se enciende la luz en una ventana de la casa que vigila. Acaricia la culata de su 9 mm, tibia y amartillada en la cintura.

La puerta se abre despacio. Lascano se pega a la pared. En la oscuridad del umbral apenas logra distinguir la silueta de Yancar. Le parece ver o adivina sus ojos de fiera procurando detectar a sus enemigos antes de salir. El hombre nunca se precipita. Lascano controla que no haya nadie en las esquinas, Gómez y su gente están a la vuelta, tensos, listos y desesperados. Saca la pistola, el brazo recto y pegado al cuerpo. El pulgar verifica que el percutor esté montado, el índice paralelo al cañón, el medio posado en el gatillo. Yancar se asoma. Con una mano dentro del saco, mira hacia uno y otro costado. Lascano contiene la respiración, aprieta la culata y se quita los zapatos casi sin moverse. Sale Yancar, cierra la puerta de la guarida, le echa llave y camina cuatro pasos hacia su derecha. Para, gira y emprende la marcha en sentido contrario. Agazapado, Lascano sigue a la figura borrosa que se sucede a través de las ventanillas mojadas de los automóviles. Pocos metros antes de llegar a la esquina, Yancar se detiene, parece olfatear algo en el aire, retoma la marcha, cruza la calle mirando hacia su izquierda. A su derecha, Lascano se sirve de la distracción para esconderse tras el tronco veteado como la piel de un lagarto, justo detrás de donde Yancar pasará en un instante. Levanta la pistola, encaja la mira en su nuca. Lo tiene.

Quieto, Yancar.

La voz, seca y clara en la noche, es la señal que hace emerger al resto de los policías. Yancar se congela. Su espalda es un blanco perfecto.

Si te movés, te quemo.

Yancar levanta ambas manos abiertas hasta la altura de los hombros.

Tranquilo, no voy a hacer nada.

Lo rodean apuntándolo.

De rodillas.

Obedece. Apoyándole el cañón en la cabeza, Lascano le sujeta las manos. Gómez lo palpa. Le quita la Colt 38 plateada, que brilla como un sueño.

Manos atrás.

Cuando Lascano lo esposa, Yancar se vuelve y le clava la mirada en los ojos.

Caíste, Yancar. Todos caemos algún día.

Sin soltar la cadena que une las esposas, lo ayuda a ponerse de pie y se lo entrega a Gómez.

Llévatelo.

El patrullero se detiene junto a la vereda. Yancar es introducido en el asiento trasero. Con pie húmedo, Lascano desanda el camino en busca de sus zapatos. Se los calza y se ata los cordones apoyado en un guardabarros. Levanta la vista. Yancar se vuelve, lo mira y lo saluda con una inclinación de cabeza. Por la esquina aparece el camión de la Guardia de Infantería. Lascano trota hasta el medio de la calle, alza una mano hacia él y con la otra se tapa la boca. Los policías, en traje de combate y portando escudos de plexiglás, bajan en silencio y forman dos filas. Dos hombres con escopetas se separan, corren hasta la guarida y se apostan uno a cada lado de la puerta. El resto, rápidamente, enfila detrás de ellos. Ramírez se acerca con la parsimonia propia de los gigantes, su corpulencia exagerada por la armadura antibala de *kevlar*. Lascano cabecea hacia la entrada y se coloca detrás de él. Ramírez toma posición, levanta el ariete y se vuelve. El Perro, con la mirada fija en la puerta, ordena:

Dale, de una.

Ramírez ejecuta un *swing* de bailarín y estrella el ariete contra la madera. Estallido. Una de las hojas cae formando un puente en los escalones, la otra se raja al medio. Ramírez gira y se recuesta contra la pared, Lascano da un salto y se precipita por el pasillo, pistola al frente. Detrás, la tropa. Corre, patea la puerta vidriada para encontrarse frente a frente con un hombre. Lo reconoce de inmediato. Está en calzones, armado y apuntándole.

¡Quieto, Marciano!

El tipo dispara al tiempo que el Perro se agazapa, lo señala con el cañón de su pistola y gatilla. El impacto, encima del ojo derecho, lo voltea como si fuera un pelele de parque de diver-

11

siones y lo pone a desangrarse en el suelo. Lascano da un grito de rabia.

¡Quieto te dije, la puta que te parió!

Se vuelve.

¡A ver, la ambulancia!

Odia la situación. Para Lascano, tirar a matar, sin pasión y aun para defender la propia vida, es un trance que lo llena de amargura. Mira a su alrededor. Se aproxima a una habitación cerrada, sus hombres lo cubren con las escopetas alzadas. Abre con cautela, está a oscuras. Se asoma fugazmente. No pasa nada. Adentro se escuchan sollozos. Un sargento le alcanza una linterna. En el recorte circular del foco, sobre un camastro, contra la pared, tres menores se abrazan y lloran. Lascano enfunda la pistola.

Tranquilas, pibas, está todo bien.

Amanece.

2

El resfrío se ensaña con sus huesos. Ni siquiera prende la luz. Se siente un elefante en agonía camino de su cementerio secreto. A través de las rendijas de la persiana se filtran unos pocos rayos de luz que lo deslumbran. Desde fuera, en sordina, le llegan los sonidos de la calle: niños que pasan rumbo a la escuela, la sirena de una ambulancia, la voz del vendedor de diarios. Se recuesta contra la puerta, suspira y va a la cocina. Llena un vaso con agua y arroja dentro una pastilla efervescente. La diminuta reacción en cadena pone a bailar la tableta al ritmo de las burbujas que la van disolviendo. Tiembla. Se lleva la mano a la cabeza ardiente. No espera más: cuando el comprimido es apenas una lámina, se zampa el vaso de un trago. Va hacia el dormitorio quitándose la ropa. Desnudo, se derrumba sobre la cama. Con los ojos cerrados manotea el revoltijo que hacen sábanas y frazadas y se cubre hasta la nariz.

El crujido de una rama al quebrarse. Por el vano de la puerta, una sombra blanca que desaparece de inmediato. Un objeto metálico rueda sobre la mesa, cae al suelo, sigue rodando y desaparece entre las patas de león del aparador. Una ráfaga mueve las cortinas que alguna vez fueron blancas. En la distancia, alguien toca una pieza de Satie en un piano desafinado. Retrato de familia: papá y mamá en la rambla de Mar del Plata frente a los leones marinos de piedra, lo toman de la mano y sonríen a la cámara. ¿Por qué es tan triste esa imagen congelada de la felicidad? El abuelo Vicente, con su uniforme de jefe de bomberos, quepis en mano y mostacho impertinente. La abuela, severa, vestida de negro. Marisa, sorprendida desde arriba sonriendo con todos sus dientes. Otra con él en el Ital Park con fondo vertiginoso de montaña rusa. Eva. ¡Ah, Eva! Su única foto. Aquella que le entregó la madre de ella cuando aún quería encontrarla. Su padre, niño, en blanco y negro, disfrazado de diablo, apoyado en mesa con jarrón y sosteniendo en la mano la cola punta de flecha.

Se duerme.

En el vidrio de la ventana se borronea una niña con tutú blanco. ¿Lleva flores rojas en el pecho o es una mancha de sangre? Baila girando con la cabeza vuelta hacia el cielo.

Un rayo de sol se cuela en la habitación. La puerta del armario se abre lentamente. A medida que lo hace, el espejo que hay en su interior lo refleja. Viaja por la pared hasta los párpados de Lascano y lo despierta. Abre los ojos y se queda mirando el cielo raso en el lugar donde la pintura agrietada dibuja una sonrisa sin rostro. Embotado, trata de leer la hora, pero los números en la esfera no quieren quedarse quietos. Se levanta despacio, las articulaciones en llamas. Se pasa la mano por el pelo, camina hasta el baño. Enciende la luz, se mira en el espejo. Piensa que debería hacerlo con mayor frecuencia, para evitarse la sorpresa de las nuevas arrugas, las manchas. Huellas de un cansancio que no se quita con el sueño. Asoman de su nariz y orejas matas de pelos, cerdas de jabalí. Se pasa la mano por la barba entrecana de dos días.

Envejecer es una mierda. Me estoy convirtiendo en un animal. Un hombre lobo patético, cada día más débil.

Abre la canilla. Toma la pastilla de jabón, se lava las manos. Cuando la deja, la coquilla que le regaló Eva cuando todavía lo amaba pendula sobre el lavatorio con un tic-tac de relojería. Coloca las manos en cuchara bajo el grifo y observa el agua llenándolas hasta rebalsar y escurrirse por la línea de la vida.

14

Se inclina para mojarse la cara. Suena el teléfono. Toma la toalla. Secándose, regresa al dormitorio, se deja caer en la cama y atiende.

Diga... ¿Quién habla?... Ah, ¿qué hacés?... ¿Para qué?... Cuánto misterio, ¿tiene que ser hoy?... Está bien... ¿Te parece a eso de las cuatro?... Quedamos así.

Se queda pensativo unos instantes.

¿Qué mierda querrán ahora?

Vuelve al baño, abre el botiquín, saca dos cápsulas amarillas, se las mete en la boca, llena un vaso con agua, las traga, bebe.

Paredes también está más viejo. Con los años adquirió el aspecto y los modales de un gordo bueno y sosegado, quizás se haya convertido en eso, pero es tarde para sentir simpatía por este burócrata que nunca le hizo un favor a nadie.

¿Cómo andás, Paredes? En la lucha, ¿y vos? ¿Para qué me llamaste? Te llegó la hora, Perro. ¿Quién te dio confianza para que me llames así? Disculpe, comisario Lascano. ¿La hora de qué? Del retiro. Yo no lo pedí. No hace falta, es de oficio. ¿De oficio? Cuando llegás a la edad de jubilarte, si no te hacen la excepción por razones de servicio, te jubilan.

Lascano se queda mirándolo. Paredes se pone a revisar una pila de carpetas. Le relampaguean los ojos cuando encuentra la que busca. La abre, la coloca frente a Lascano y le extiende un bolígrafo.

Tenés que notificarte, firmá ahí. ¿Puedo leer antes? Leé todo lo que quieras.

Mira el papel, pero no está leyendo. No quiere firmar. De repente lo invade un odio bíblico por cada uno de los trein-

15

ta años que pasó lidiando con la peor basura de la sociedad. Este trabajo es lo único que tiene, porque este trabajo se lo quitó todo. Acto final. A partir del momento en que escriba su nombre en estos documentos no le quedará nada. No se hizo rico como muchos de sus colegas, no logró formar una familia, no tiene una casa con jardín del cual ocuparse, hijos a quienes aconsejar, nietos a los que malcriar. Nada. Sólo le quedará una pensión miserable que irá devaluándose hasta que ya no pueda mantenerse. ¿Y entonces qué? Internarse voluntariamente en el «hogar policial» a esperar el final, mientras la inacción le va pudriendo el cerebro y los achaques carcomiéndole el cuerpo. Una sorpresa, nunca pensó en la jubilación, hizo méritos suficientes para morir antes de que llegara este momento. Pero aquí está la sentencia que lo decreta un viejo inútil a quien ya le exprimieron todo el jugo. Una cáscara vacía que no le interesa a nadie. Le tiembla la mano en el momento de firmar. Siente la mirada de Paredes. Su sonrisa torcida es una humillación. Cierra la carpeta de un golpe, la tira sobre el escritorio y se pone de pie. El jefe de personal saca a relucir sus dientes amarillos.

¿Viste?, no dolió nada.

Lascano lo mide y reprime el impulso de tomarlo por el cuello y partirle el cráneo con el busto de San Martín.

¿Por qué no te vas un poco al carajo?

Paredes se pone serio.

Después de usted, compañero.

Lascano le vuelve la espalda para irse. Paredes da un golpe sobre el escritorio.

Perro. ¿Qué hay? Pasá por Suministros a entregar la pistola y la chapa.

3

Concentrados, los cuatro hombres comen emitiendo gruñidos alrededor del calentador donde se cocinó el guiso. Tras la reja, por el pasillo donde siempre es invierno, se pasea Morales el guardiacárcel, vigilante, con paso tranquilo. La puerta del pabellón permanecerá abierta la siguiente hora. Flaco, nervioso y desgarbado, Moñito regresa de la enfermería restregándose las manos y se une a la ranchada.

A que no adivinás quién acaba de caer.

Romero se mete una cucharada en la boca y levanta la vista del plato.

No me gustan las adivinanzas.

Moñito sonríe.

El Pescado. ¿Yancar? En cuerpo y alma.

Romero se pone de pie y le pasa su plato a Hueso.

Comelo vos, se me fue el hambre.

Dándoles la espalda, camina hasta la reja, se apoya en la puerta y mira el pasillo a izquierda y derecha. Hueso vuelca la comida que le dio Romero en su plato y habla sin dejar de masticar.

¿Qué hay? Hicieron un laburo juntos. El Pescado lo batió y se rajó con el toco. Va a haber baile.

Inmóvil, Romero observa a Morales alejándose. Se vuelve. Con un gesto apenas perceptible le pregunta a Moñito hacia qué lado está Yancar. Moñito se pasa la mano por la mejilla izquierda. El cabeceo de Romero es una orden. De a uno, los cuatro hombres se van poniendo en pie y caminan haciéndose los distraídos en la dirección indicada. Sigilosos como cazadores, se reúnen a las puertas del pabellón donde se aloja Yancar. Se cercioran de que no hay ningún guardia cerca y entran. Quince se queda en la puerta de campana. Los restantes recorren los últimos metros velozmente y sin ruido. Cuando Yancar advierte su presencia ya está rodeado. Los otros presos no necesitan más orden que una mirada de Moñito para salir de la sala de inmediato. Romero acerca su cara a la de Yancar.

Dichosos los ojos que te ven, Pescado. ¿Qué hace, Loco? Acá me ves, de vacaciones. Escuche, Loco. No, escuchame vos. Me batiste y me afanaste. Le juro...

En la mano de Romero aparece una faca. Una cuchara afilada con el mango envuelto en trapo. Yancar retrocede un paso, tropieza con el cuerpo de Hueso, quien le aferra los brazos. A Yancar le asoma una sonrisa estúpida, de miedo.

Escúcheme, Loco.

Con movimiento de mangosta, Romero le tajea la mejilla, le pone el filo al cuello y presiona.

Hasta matarte me da asco, buchón.

Yancar trata de alejar la yugular de la faca, pero Hueso lo empuja hacia el filo. Las palabras se atropellan para salir de la boca de Yancar.

Tengo guita fuera, Loco...

18

Romero se detiene, le mete la mirada muy adentro de los ojos. Yancar tiembla. La voz de Quince es un susurro brevísimo. Pero los hombres la oyen como si fuera un grito.

Isa.

Morales y dos verdugos se acercan por el corredor. La faca desaparece en la manga de Romero tan mágicamente como apareció. Hueso suelta a Yancar, pero no lo suelta la mirada de cólera contenida del Loco.

Ojalá que tengas mucha, alcahuete, porque me vas a tener que comprar tu vida todos los días.

Romero, Moñito y Menfis se vuelven y se alejan. Antes de seguirlos, Hueso le pone la mano en el culo a Yancar.

Éste también lo vas a entregar, mamita.

4

Cordero toma asiento, se quita los anteojos y la mira. Pausa.

No tengo buenas noticias, Sofía.

Ella ya lo había leído en sus ojos.

¿Será doloroso?

El médico vuelve a colocarse los lentes.

El dolor no es problema, hoy tenemos drogas para controlarlo hasta... donde sea necesario.

Sofía supo que iba a decir... hasta el fin.

¿Cuánto tiempo?

Cordero sabía que iba a preguntarlo.

Eso dejalo para las películas. Cada organismo es distinto, reacciona de manera diferente.

Ella cruza las piernas y se deja caer contra el respaldo del sillón. Cordero es el mejor en su especialidad. Sofía cierra los puños con fuerza.

¿Cuánto? Sofía, yo practico la medicina, no la adivinación. Dejate de macanas, Cristóbal, te conozco desde chico. No puedo prever cómo va a reaccionar tu organismo. A tu edad debería evolucionar lentamente...

El teléfono suena con un timbre débil. Con gesto malhumorado, Cordero se disculpa y atiende. Su secretaria se precipita, él le ha dicho diez minutos. Clarito se lo dijo, hasta se lo hizo repetir. Es su hora de salida, no quiere esperar... Mañana la arreglará.

El teléfono suena con timbre débil. Con gesto malhumorado, Cordero se disculpa y atiende. Es su secretaria que se adelanta, él le había dicho que lo llame a los diez minutos. Clarito se lo dijo, hasta se lo hizo repetir. Siendo su hora de salida, no quiere esperar... Mañana la pondrá en su lugar.

Sí, Cristina...

La voz del doctor se aleja. Sofía vuelve la vista hacia la ventana. Las ramas de las tipas que bordean la avenida del Libertador se mecen lentamente; algunas arañan los vidrios. El sol, cayendo, las pinta de ocre.

Está bien, Cristina, vaya no más... Hasta mañana...

Cordero corta y se queda mirando a su paciente, apretando los labios, sin quitar la mano del teléfono.

Sin embargo, hay cosas que podemos hacer para retrasar la evolución.

Sofía se vuelve hacia él con determinación.

Ni hablar. Pero Sofía... Mirá, Cristóbal, lo único que me queda es salir con alguna elegancia, con algo de dignidad. No tengo ningún interés en llegar al fin hecha un monstruo, una bestia pelada, como le pasó a Chiquita.

Cordero se pone de pie.

Es su decisión. ¿Al menos va a dejar que la controle?

Sofía saca a relucir la sonrisa que la hizo famosa en los salones de la clase alta.

Hay que exprimir al paciente hasta el último momento, ¿verdad? Sofía, no estoy pensando en el dinero.

La mujer pasea una mirada admirativa por el consultorio. La única alfombra que diseñó Polesello, dos Fader, un Kuitca y tres ensayos a carbonilla de Dalí. Muebles tan finos que están firmados por el ebanista, la estilográfica Montegrappa Classical Greece. Se levanta.

No, claro, ¿cómo se me ocurre?

Cordero deja pasar la ironía.

Te acompaño a la puerta. Gracias.

Sofía siente un mareo y se aferra al brazo del doctor.

¿Está bien?... No es nada...

El médico se adelanta y le abre la puerta. Se miran. Él la toma suavemente por los hombros y le da un beso en la frente.

Valor, Sofi, rezaré por usted.

Sofía sacude la cabeza y lo palmea en la espalda.

¿Cómo es posible que un hombre brillante de la ciencia crea en esas pavadas? Creer o reventar, Sofía. No, Cristóbal, te equivocás: creer y reventar. ¿Acaso tus estudios no te enseñaron que estamos condenados?

Javier sale del auto, lo rodea corriendo, pero no llega a tiempo, Sofía ya abrió la puerta y se mete en el asiento trasero. El chofer cierra y da la vuelta al coche para colocarse al volante. De pronto Sofía percibe que su extrema solicitud, su exagerada obsecuencia, su permanente zalamería, siempre le han resultado antipáticas, son los signos serviles del traidor, de alguien que odia a quien sirve. Toma la decisión de despedirlo en cuanto encuentre un reemplazante. Ya no hay tiempo. Si una cosa aclara esta situación es que todo es ahora o nunca. El auto enfila hacia el sur. Es hora punta. El grueso del tránsito se dirige hacia el norte, aglomerado y trabado. Su camino está despejado y claro. Hay pocas cosas que le den más placer que ir en una dirección cuando todo el mundo va en la contraria. La esquina de Salguero es un caos. El tráfico transversal se detuvo y tapona la avenida. Sofía se reclina contra el asiento y observa la fila de pasajeros que esperan el ómnibus. Ya no recuerda cuánto tiempo pasó desde la última vez que utilizó un transporte público que no vuele. Le parece admirable que la gente común, luego de ocho o diez horas de trabajo extenuante y tedioso, tenga la fuerza para subirse a esos catafalcos superpoblados, malolientes y endebles para hacer un viaje de dos horas de vuelta a sus casas, a sus aburridas vidas. En la cola hay una joven embarazada que le recuerda a Amalia. No se parece lo más mínimo, pero una panza es una panza.

5

Montado en su bicicleta, Braulio regresa por la mitad de la calle que está asfaltada, la otra mitad es de tierra. La división marca una frontera volátil entre el barrio obrero donde vive y la villa de miseria que hay enfrente, La Carmela, en la ribera sembrada de desechos. La tierra está comiéndose el pavimento, recortándole colmillos grises entre los que florean los yuyos. Uno de ellos muerde la rueda. Braulio se detiene. La pinchadura la dejó plana. Quita su bolsa del portaequipajes y se la cuelga de un hombro, en el otro coloca la bicicleta y se interna en el vecindario. Casitas levantadas cuarto a cuarto; con su simetría de enanitos, bailarinas y animalitos de cemento; enrejadas en un intento por contener el irresistible avance de la miseria. Está contento, el día fue bueno, el constructor le pagó al terminar la jornada y le aseguró que lo buscaría en cuanto tuviera otra changa. En casa lo espera Eulalia, su mujer. Cuando no cocina, limpia y lustra. Mientras ella prepara la cena, se ocupará de reparar la llanta. Mañana quiere ir bien temprano a la ciudad a buscar trabajo. Como es habitual, deberá aceptar cualquier condición con tal de conseguir una ocupación que le permita seguir del lado del asfalto. El límite que lo separa de la villa, con sus casuchas construidas con los residuos y los desperdicios de la ciudad, va reduciéndose día tras día, mientras su salario baja en el almacén y aumenta el miedo en su corazón. Quienes cruzan la calle, ya no vuelven.

Cien metros antes de llegar a la casa, en la esquina, ve a su hermano con Mabel, su mujer, los tres sobrinos y una valija de cartón zunchada con un cinto viejo. Esmirriado, bigotudo, triste y tiznado, no debe de traer buenas noticias. Braulio deja la bicicleta en el suelo y le tiende la mano.

¿Qué hay, Lisandro? Se nos quemó el rancho.

El hermano señala la maleta.

Acá están las únicas pilchas que pudimos rescatar.

La mujer baja la vista avergonzada, los chicos lo miran con ojos plenos.

¡Qué macana!

Braulio encadena la bicicleta a la reja. La familia, recogida, en silencio ansioso, como quien espera una sentencia, contiene la respiración.

Bueno, pasen, ya nos vamos a arreglar.

Vuelven a respirar y entran detrás de Braulio. Eulalia deja el repasador para recibirlos.

Hola, tenemos visita.

Braulio saca de la bolsa tres tomates, una lechuga, dos pepinos y un trozo de carnaza. Los deposita sobre la mesa.

Se les quemó la casa.

Eulalia se persigna.

¡Virgen María, qué desgracia!

Lisandro y familia inmóviles en medio de la reducida sala.

25

Bueno, no se queden ahí. Siéntense, ya nos vamos a arreglar.

Braulio quita de las sillas las mochilas de la escuela de los más chicos y las coloca en el suelo. Eulalia le sonríe.

¿Y los pibes? Han de estar jugando a la pelota. Voy a buscarlos. Bueno, yo preparo la cena.

Mabel acude a su lado.

Te ayudo.

Desde el borde de la canchita, Braulio ve a Lindaura del otro lado, mirando el partido. Le da un grito para que se acerque. La chica se levanta y, sujetándose la pollera, corre hacia él entre los muchachitos que se disputan la pelota.

Diga, papá. Llamá a tus hermanos.

Protestando, los cuatro se reúnen con Braulio. Pero las quejas cesan de inmediato cuando advierten el semblante preocupado del padre.

A Lisandro se le incendió la casa. Así que por un tiempo van a vivir con nosotros.

Lindaura se ofusca.

¿Cómo, papá?, no tenemos lugar. Lo vamos a tener que hacer. Ustedes tres van a dormir con mamá y conmigo. Lisandro, Mabel y los chicos van a usar su habitación. Lindaura va a dormir con la nena en la sala. Hoy nos arreglamos con mantas en el suelo, mañana voy a ver si consigo unos colchones.

Los chicos se quedan en silencio. Braulio se vuelve y comienza a andar hacia la casa. Los hijos lo siguen. Fastidiado, el menor susurra a Lindaura.

No hace una semana que tenemos el cuarto y ya lo perdimos.

Braulio se detiene abruptamente.

Usted se calla.

6

La sombra rechoncha y nerviosa precede al doctor Martín Cillo por el largo muro de la prisión. Porta un maletín trajinado y repasa con insistencia los pocos pelos que va dejando la calvicie. Con paso de muñeco ansioso, llega hasta el portón. Acodado en el mostrador, un poco demasiado alto para su estatura, tamborilea con los dedos sobre la tabla a la espera de atravesar los controles.

En el pabellón, Yancar va al encuentro de Romero. Le entrega unos billetes doblados en dos y sujetos con una banda elástica. Romero los revisa como quien pasa las hojas de un libro.

Esto se pone cada vez más flaco, Pescado.

A Yancar le parece conveniente no decir nada. Aguantar la mirada desafiante y cargada de desprecio del Loco, deseando que se vaya pronto. Con él, nunca se sabe.

¡Yancar!

El vozarrón de Morales lo rescata. Romero hace desaparecer el dinero y Yancar acude junto al guardiacárcel.

A una de las mesas en la sala para las visitas, rodeado de presos que conversan en voz baja con sus familiares, Martín acomoda ansiosamente sus papeles. Yancar se sienta frente a él.

¿Qué hay, Tordo? Tengo buenas noticias. Me parece bien, yo sólo tengo malas. ¿Qué pasó? El Loco Romero. ¿Está acá? Y más loco que nunca. Me está sacando guita con una pala.

Martín rebusca algo en su maletín. Se le ilumina el semblante cuando lo encuentra. Un escrito con dos copias que coloca sobre la mesa.

Te puedo sacar. Si estoy hasta las pelotas. No tanto, hay un recurso, pero es muy difícil que te lo den con tus antecedentes. ¿Y? Existe la posibilidad de comprar a uno del juzgado. Los martes el juez juega al golf y firma sin leer. Cuesta un montón. ¿Cuánto?

El abogado escribe una cifra y se la pasa a Yancar. Lee, rompe el papel en mil pedacitos y los mete en el bolsillo de su camisa. Estira las piernas bajo la mesa, se recuesta contra el respaldo de la silla y cruza los brazos sobre el pecho.

¿Cuánto es para vos? Lo de siempre. Dale para delante.

Martín toma el escrito, lo gira hacia Yancar y le ofrece una estilográfica.

Firmá acá y acá. ¿Esto cuánto tiempo va a llevar? Unos días, ponele un mes. Entonces tenés que conseguir que me separen del Loco. Si sigue en el pabellón no voy a durar tanto. Dalo por hecho.

Yancar se pone de pie y lo contempla desde su altura con una mirada de complicidad en la que viborea la desconfianza. Martín guarda el escrito en el maletín y lo cierra. En un gesto automatizado, retrocede dos pasos para evitar tener que mirar a Yancar desde tan abajo.

Romero fuma acostado en su camastro y hojea un ejemplar gastado de *Gente*. Morales se ubica a sus pies y golpea el colchón con la rodilla. Romero baja la revista.

¿Qué hay? Seguime.

Romero hace un rollo con la publicación y se levanta. Morales se toca los bigotes y lo mide con arrogancia.

La revista se queda.

Salen al pasillo, donde se les une Rotundo. Se coloca detrás de Romero y emprenden la marcha.

¿Adónde me llevás? Tranquilo, ya te vas a enterar.

El misterio no dura mucho. A poco andar, Romero se da cuenta de que se dirigen a las celdas de aislamiento. Morales se detiene junto a una de ellas y se vuelve.

Contra la pared, las manos arriba.

Romero obedece. Morales cabecea en dirección a Rotundo.

Palpalo.

Romero gira la cabeza. Rotundo le pone una mano en la nuca y con los pies lo obliga a separar los suyos. Romero pega la frente a la pared mientras el guardiacárcel lo revisa.

¿Y esto, por qué?

Rotundo se retira un paso.

Limpio.

Morales le sonríe.

El jefe lo ordenó. Quiere evitar que se la des al Pescado.

La rabia inunda la cara del Loco. Rotundo retrocede otro paso, separa los brazos del cuerpo y cierra los puños. Señalan-

30

do el reducido cubículo, Morales ordena con calma amenazadora.

Entrá.

Para ponerlo en la celda de castigo tienen que achacarle una falta. Una mancha en su prontuario que amputa la posibilidad de salir por buena conducta. La indignación le entrecorta las palabras.

Quiero hablar con el jefe.

Morales se pasa la mano por el cabello. Rotundo se acerca un paso hacia Romero.

Entrá, te digo.

Romero insiste.

Quiero hablar con el jefe.

Rotundo lo empuja, suave pero decidido, hacia el interior de la celda. La puerta se cierra con un golpe. Romero le da un puñetazo. Las llaves dan vuelta al cerrojo. Eco de pasos que se alejan por el corredor. Silencio. Único sonido: el de su respiración.

7

La celda de castigo es una olla a presión donde se recuece el odio. Está solo en este agujero alejado del mundo y de los otros, amigos o enemigos, prisionero de una cabeza que no se detiene un instante de día o de noche, despierto o dormido.

Y *la cabeza, hermano, puede comerte.*

No sabe cuántos, hace muchos días que se acabaron los cigarrillos. En las paredes demasiado próximas del calabozo, con los ojos abiertos o cerrados, se proyectan los recuerdos. Allí está él. Romerito le decían entonces, once años. En el barrio El Peligro, a la puerta de la casilla que habitaba con madre, tres hermanas y ese padre que, enmarcado en el hueco que hacía las veces de entrada, lo estaba echando de la casa. Ya no había lugar para él. Ya no quería seguir alimentándolo porque no traía nada. Ese hombre tosco y rudo, escaso de palabras y de gestos, reconcentrado y amargo, le imponía el destierro con su metro ochenta de músculos, sus ciento cincuenta kilos y sus manos de obrero, dos racimos de bananas oxidadas. Afuera, a la calle, a la intemperie. Allí donde era menos que nadie, un niño solo en la selva de chapa y cartón, con lágrimas por única defensa. Se volvió para alejarse. El estrecho camino de barro se abrió a sus pies como una avenida hacia la desolación. A poco andar lo alcanzó Pocha, su hermana mayor. Lo corrió para despedirse con un beso y su medio sándwich de mortadela, mientras la villa se hacía noche. Buscó refugio en la banda del Pato Ronco, esos que dormían bajo los puentes o en los vagones abandonados del ferrocarril. Anibita, un chiquilín más o menos de su misma edad que vendía estampitas de los santos en los trenes, lo presentó, y eso lo hizo su amigo. Una vez hasta lloró con él. Anibita lo consoló, y nunca le contó a nadie que lo había visto lagrimear porque extrañaba a su mamá. Romerito se incorporó a la banda de pillos desgreñados que se entrenaban en el raterismo para, algún día, si lograban vivir lo suficiente, convertirse en verdaderos criminales. Lo recibieron como a un animal apestado. Se quedó en un rincón mientras la pandilla decidía si era de alguna utilidad. Algo había que aportar a la miserable comunidad para pertenecer a ella y contar con su protección. Lo único que Romerito tenía entonces era su cuerpo. Muchas madrugadas, cuando le fallaba todo lo demás, tuvo que entregárselo a Pato, hediondo de cerveza de descarte, para que le diera matraca. Muchacho correoso con algo de ventrílocuo, Pato ya había matado dos veces. Eso lo transformó en el cabecilla indisputado. Romerito, apenas un niño, era el último orejón del tarro. Entendió que seguiría siendo nadie mientras no realizara la hazaña que habría de colocarlo al mismo nivel de peligrosidad que sus cofrades. Alguien a quien se debe respeto. La oportunidad se presentó después de que robaran la carnicería. Uno de ellos los delató y vino la policía. A algunos se los llevó, otros huyeron por los pajonales que anticipaban el río. Lo que quedó de la banda se reunió bajo los sauces de un recreo abandonado. Allí se montó el juicio, presidido por Pato Ronco. Estaban hambrientos y extenuados. Era una noche de invierno y había que descubrir al alcahuete. Luego de un cabildeo, Pato decidió que Anibita era el culpable. No había nada que probar, en verdad le tenía bronca porque Rosaura, la piba que vivía debajo de los andenes, lo prefería. Todos lo sabían. Lo cierto es que Pato lo llevó a trompadas y patadas hasta la orilla, cerca de los juncos manchados de petróleo, donde lo puso de rodillas. Allí sacó su revólver casero. A Romero le parece verlo, temblando en su mano.

Un puto caño recortado al que le había colocado un cerrojo de puerta y un resorte que impulsaba al percutor, todo montado sobre un cacho de madera y fijado con varias vueltas de cinta adhesiva. Una sola bala.

Pato se lo apoyó en la cabeza a Anibita, que lloraba y juraba su inocencia, pero la decisión estaba tomada y tenía que morir. La angustia fue un puñal que se le clavó a Romerito en el pecho, pero desde adentro. Se interpuso entre Pato y Anibita. El abierto desafío paralizó a la miserable corte. Pato no podía creer lo que estaba sucediendo.

¿Querés que te queme a vos también?

Romerito puso su mejor cara de malo para contestar.

No, quiero que me dejes a mí.

Pato lo miró un instante, sonrió, y le entregó el fierro.

A ver, macho, si te animás.

Romerito tomó el lugar del verdugo. Anibita lo miraba llorando, desde abajo, con la nariz desflecada de mocos tendidos y la boca babosa rogando.

No me matés, Romerito, no me matés.

Deseó que la bala no saliera, que el trabuco fallara como sucedía con frecuencia. Pato le pegó en el hombro.

Dale, ¿qué esperás?

Romerito cerró los ojos y tiró del gatillo. El estampido se fue lejos, rebotando en los sauces, los juncos y las olas del río. Cuando los volvió a abrir, Anibita estaba desparramado en la mugre con los ojos abiertos, un títere sin hilos con la boca llena de sangre. Todos los demás gritaban excitados. Romerito se entregó a un demencial baile de alaridos y gestos desmañados. Desde entonces no fue más Romerito y Pato no volvió a servirse de él. Había matado, era alguien. Pero nunca se le fue el dolor por Anibita, sangre y mocos, pantalón corto, patitas de tero, tendido a la orilla del río.

El sonido de la cerradura interrumpe la evocación. Morales, en el vano de la puerta, lo mira con media sonrisa.

Levantate.

Romero lo contempla ensoñado. No entiende.

Volvés al pabellón. Al Pescado lo largaron.

8

Suena el timbre, es ella. Lascano nunca está demasiado seguro de si lo alegra su llegada. Muchas veces tiene la sensación de que lo llaman para ir a hombrear bolsas. Habla demasiado rápido de cosas que no le interesan lo más mínimo. Pondrá cara de escuchar y pensará en otra cosa, principalmente en que preferiría estar solo. Sin embargo le agrada, le gusta, es más, lo calienta. Sólo en aras del buen sexo que tienen es que condesciende al sacrificio de soportar su cháchara.

Entra con una sonrisa. En la puerta, sin darle tiempo a que cierre, le da un abrazo más largo y apretado de lo que aconseja el pudor vecinal. Incómodo, la hace a un lado para cerrarle el telón al consorcio. Ella lo suelta, le da la espalda y avanza. Esto sí le gusta. La manera en que se mueve al caminar. Promesa de otros movimientos que ya imagina. La sigue. Ella se vuelve, lo abraza, lo besa en los labios y apoya su sexo en el de él. Huele bien, recién bañada y perfumada. Le pasa las manos por la cintura y la aprieta contra sí.

¿Tenemos hambre? Un poco. ¿Cocino o salimos, qué preferís? Como quieras. ¿Cómo estás de la gripe? Mejor.

Siempre siente frío. Deja la cartera, se quita el tapado, lo abandona sobre el sofá y se sienta en el brazo. La falda corta, las piernas un poco abiertas, los zapatos de taco alto con pulsera.

A ver qué tenemos para la señora.

El Perro se mete en la cocina, ella lo sigue, se apoya en el marco de la puerta y lo observa mientras él abre la heladera e inspecciona.

¿Interesante? Sos un caso raro. Veamos, tengo unas milanesas y algo de verdura. Prefiero no comer fritura. No las hago fritas.

Lascano coloca sobre la mesa la carne y un atado de espinacas. Abre el cajón, con un cuchillo libera las hojas de su atadura, las arroja a la pileta, abre la canilla y dirige el chorro sobre ellas.

¿Soy un caso? Cuando te conocí, me dije, es un asperger. ¿Un qué? Un asperger.

Lascano limpia meticulosamente las hojas y las deja en remojo.

¿Qué es eso? Un trastorno de la personalidad. O sea que me creés un trastornado. Hay varias indicaciones. ¿Como cuáles? No disfrutás mucho del contacto social, no te preocupa tu aspecto, sólo te interesás verdaderamente por tu trabajo, para el cual tenés un talento especial y lo desarrollás con una inteligencia superior a la media. No veo el trastorno.

Lila lo observa secar la verdura y distribuirla con esmero en la asadera.

Por supuesto que no lo ves, ésa es otra indicación. ¿Continúa, doctora, o prefiere que me acueste en el diván? Sin embargo hay otras características tuyas que contradicen el diagnóstico. ¿Por ejemplo? Lo que acabás de hacer. ¿Cocinar? No, la ironía, el sentido del humor. Los asperger no los manejan, son muy literales. También sos intuitivo y hacés buena lectura del lenguaje no verbal.

37

Lascano echa un chorro de aceite sobre el colchón de hojas y lo cubre con las milanesas, que va seleccionando por forma y tamaño a fin de colocar la mayor cantidad posible.

¿Y entonces? Ya te lo dije, sos un caso raro. ¿Será eso lo que te atrae? Es posible, la gente normal me parece mortalmente aburrida.

Lascano abre la tapa del horno, enciende un fósforo y lo arrima al quemador, que empieza a despedir temblorosas llamas azules. Mantiene presionada la llave hasta que se estabilizan. La suelta, mete la asadera y cierra.

En unos minutos comemos.

Saca una botella de vino de la alacena y la alza en dirección a Lila.

¿Me acompañás? Por favor.

La abre y toma dos copas.

¿Pasamos a la biblioteca?

Lila ríe, van a la sala y se sientan en el sofá. Lascano sirve una copa, se la alcanza y llena otra para él mismo.

O sea que volvemos al principio, te gustan los bichos raros. Y a vos, qué es lo que te gusta de mí.

El Perro maldice para sí.

¿Para qué me habré metido en esta conversación?

Ella bebe y espera que responda con aire de desafío. Lascano intenta su tono más seductor.

Todo. Enumerá, por favor. Tengo que controlar la cena.

Se levanta, deja la copa y se mete en la cocina. Lila sacude la cabeza, trata de relajarse y bebe.

¿Necesitás ayuda? Podés poner la mesa.

Lila busca la vajilla y los cubiertos, los lleva a la mesa y regresa hasta la puerta de la cocina.

¿Algo más? Allí adentro hay pan. Llevalo y ponete cómoda. Ya comemos.

Coloca las copas y la botella frente a los platos y se sienta. Lascano aparece sosteniendo la asadera con guantes de cocina y llevando en la boca un repasador. Lo deja caer sobre la mesa, acomoda la fuente encima, toma asiento y sirve, primero a ella.

Esto huele de maravilla.

Lascano emite un gruñido y comienza a comer.

Te noto un poco caído, ¿pasa algo?

El Perro levanta la mirada, traga el bocado. Reprime el impulso de comentarle el asunto de su jubilación. Daría lugar a interpretaciones y consejos que no tiene ganas de escuchar.

Nada, estoy un poco cansado.

Lascano come en silencio, Lila arranca con un relato pleno en detalles que no vienen al caso, pero sólidamente fundamentados con términos de la jerga lacaniana que el Perro no se preocupa en descifrar. En su discurso se mezclan los problemas de sus pacientes, los hijos, las relaciones con el ex marido, las tribulaciones de sus amigas, la enfermedad de su madre, la economía del país, la última catástrofe natural, la astrología, los conflictos bélicos en Oriente Medio, el evidente desgobierno de la nación y la alarmante noticia de que en veinte años se acabarán las reservas mundiales de petróleo. Para no alentarla, Lascano se abstiene de preguntar cómo se relacionan esos temas entre sí. Pero Lila parece adivinarlo.

Todo tiene que ver con todo, mi amor.

Ella come menos de la mitad del plato. Lascano deja los cubiertos sobre el suyo vacío.

Si usted lo dice.

Recogen la vajilla y la llevan a la cocina. Lila se coloca un repasador a modo de delantal y abre la canilla.

Yo lavo, vos descansá un poco porque en cuanto termine vas a tener que trabajar.

Lascano regresa al sofá, se quita los zapatos, se tumba, apoya los pies en el brazo y cierra los ojos. Oye la voz de Lila proclamando sus certezas, aquellas que rigen el universo. Es un rumor en segundo plano que se mezcla con el entrechocar de los platos que está limpiando y el sonido del agua. El Perro bromea para sí, sonríe.

Evidentemente, todo tiene que ver con todo.

La canilla se cierra. Lila sale de la cocina, abre su cartera, saca un pequeño pomo de plástico, vierte un poco de crema en sus manos y se las restriega mientras se sienta pegada al cuerpo de Lascano. Cuando inclina su cara sobre la de él, la caída de su camisa le brinda al Perro el panorama de sus tetas apretadas en el corpiño labrado con flores que está estrenando. Mientras acerca sus labios a los de él va surgiendo su lengua roja, estrecha, húmeda, vivaracha y penetrante. Con enérgicos movimientos de piernas, se quita los zapatos y se acuesta sobre él. Lascano se deshace del beso y la abraza. Las curvas y formas de Lila se inquietan contra su cuerpo. Aliento cálido en sus orejas. La mano del Perro baja lentamente por su espalda, patina por la cintura y se posa en los glúteos. Ella presiona su sexo contra el de él, preguntando sin obtener respuesta. Lo mira, sus ojos están distraídos.

¿Te sentís mal?

Lascano no contesta. Se siente frío, distante. Por bajo no pasa nada. Pájaro muerto, o al menos desmayado. Lila lo toma por la cara obligándolo a mirarla.

¿Te hice una pregunta? No, no me siento mal, sólo estoy un poco cansado. Permitime que te reviva.

Lila se pone de pie. Desabrocha su cinturón y lo deja caer. Con movimiento de caderas, hace deslizar su falda hasta el suelo y se desabrocha la camisa. Es delgada y firme, una vara de mimbre. Cimbreante, va hasta el interruptor, apaga la luz y regresa en la penumbra desnudándose completamente. Extrañado, Lascano piensa que esto debería provocar en él alguna reacción, pero una rápida revisión mental le informa de que el sistema no está respondiendo, y comienza a invadirlo una sensación de incomodidad. Lila se acuclilla junto a él y comienza a desvestirlo. Lascano, quieto, la deja hacer. Lila, descendiendo, va besándole el pecho. Su cabello cae y repta por el vientre. Algo ya debería estar ocurriéndole a Lascano, pero su sexo no devuelve las atenciones que le está prodigando. Sólo cuando ella se lo introduce en la boca y empieza a acariciarlo con aquella lengua parece despertar tímidamente, pero la reacción no dura y la flacidez se instala como una maldición. Ella insiste, echa mano de todos sus trucos, pero no obtiene ningún resultado. La sensación de incomodidad de Lascano llega al límite, la toma suavemente y la aparta. Ambos en silencio.

¿Ya no te gusto?

Él se incorpora y se sienta.

41

No es eso, ya te lo dije, estoy cansado. ¿Cansado de mí?, ¿ya está?, ¿pasó la novedad? Esto no tiene nada que ver con vos. ¿Ah, no? Yo no veo a nadie más aquí.

Fugazmente, Lascano mira el retrato de Eva.

No lo tome así. ¿Cómo querés que lo tome? Es un tema mío, estoy con algunas preocupaciones. Sí, que no te dignás a comentar. Mirá, si no estoy con ánimo de hacerte el amor, menos tengo para embarcarme en una discusión.

Lila se pone de pie, ofuscada, recoge su ropa y se viste.

Decime, ¿para qué vengo yo hasta aquí? Por favor, no discutamos. No discutimos, no hablamos, no cogemos.

Lascano comienza a sentirse cansado de verdad.

¿Qué es esto, cogemos o peleamos? ¿No hay otra posibilidad?

Lila lo mira callada, con furia contenida. Toma su tapado y su cartera.

Me voy.

Lascano se pone de pie, su sexo cuelga reducido a su mínima expresión.

¿Te parece?

Por toda respuesta, Lila se vuelve, abre la puerta, sale y cierra con un portazo. A Lascano lo invade una sensación de alivio con alegría y algo de preocupación.

9

Algo para lo que nunca tuvo tiempo, leer. En los dos meses que lleva retirado se despachó más de veinte novelas.

Alguien debería escribir una con mi vida, ésa sí sería una historia.

Golpes en la puerta. Levanta la vista por encima de los anteojos de leer.

¿Quién será?... Tengo que abandonar esta costumbre de hablar solo...

Las rodillas, al ponerse de pie, acusan el largo tiempo que lleva en la inacción.

Me estoy oxidando como un fierro viejo.

Abre. Un morocho, todo vestido de negro, chaqueta corta con botones dorados, sostiene en sus manos una gorra con visera lustrosa. Lascano lo mira de arriba abajo.

¿Y esto qué es, el nuevo uniforme de los testigos de Jehová?

El muchacho se desconcierta.

¿Cómo?... Nada, no me hagas caso. Si venís a mangar, vas

muerto. No, señor, vengo a decirle que mi patrona quiere verlo. ¿Quién es ella? La señora Sofía Taborda. ¿Quién? Sofía Taborda. No la conozco. Me pidió le diga que tiene un trabajo para usted. ¿Trabajo? Sí. ¿De qué se trata? Eso no lo sé. Decile que estoy retirado. Me mandó decirle que paga bien.

Lascano se queda mirándolo como si acabara de bajar de un ovni. El muchacho le entrega una tarjeta. Es una impresión fina en papel caro. Tiene el nombre de la dueña y una dirección en Palermo Chico.

Tengo el auto en la puerta, si quiere venir ahora. En este momento no puedo. Esperá un momento.

Lascano gira, el chofer lo mira acercarse a una mesa y escribir en un pedazo de papel. Regresa y se lo entrega.

Decile a tu patrona que me llame. Sí, señor.

Cierra y vuelve al sillón. Toma el libro y se sienta.

Y ahora, ¿por dónde iba?

Hojea hasta encontrar el párrafo donde lo había dejado y retoma la lectura.

Un día asistió al duelo furioso librado entre dos ratas. Ciegos y sordos a todo lo que los rodeaba, los dos bichos enlazados rodaban por el suelo con chillidos rabiosos. Al final se dieron muerte al tiempo y murieron sin aflojar su abrazo. Al comparar los cadáveres, Robinson se dio cuenta de que pertenecían a dos variedades muy diferentes: una muy negra, rechoncha y pelada, se parecía a las que él estaba acostumbrado a cazar en todos los navíos en que se había embarcado. La otra, gris, más alargada y de pelo más tupido, especie de ratón de campo, solía verse en una parte de la pradera que había colonizado. No cabía duda de que esta segunda especie era indígena mientras que la primera, proveniente de los restos del Virginia, había crecido y se había multiplicado gracias a las cosechas de cereales. Ambas especies parecían tener sus recursos y sus dominios respectivos. Robinson lo confirmó dejando una tarde en la pradera una rata negra que había capturado en la gruta. Durante largo rato las hierbas, agitándose, fueron las únicas en delatar una carrera invisible y numerosa. Luego la caza se circunscribió y la arena voló al pie de una duna. Cuando Robinson llegó allí no quedaba de su antigua prisionera más que un manojo de pelos negros y miembros desgarrados.

Entonces esparció dos sacos de grano en la pradera tras haber sembrado un estrecho reguero desde la gruta hasta aquel lugar. Corría el riesgo de que aquel gravoso sacrificio resultara inútil. No lo fue. Desde el anochecer, las negras acudieron en tropel para recuperar lo que quizá consideraban un bien propio. La batalla estalló. En varios acres de pradera una tempestad parecía levantar cientos de minúsculos géiseres de arena. Las parejas de combatientes rodaban cual bolas vivas, mientras que un chillido innumerable ascendía del suelo, como de un patio de recreo infernal. Bajo la lívida luz de la luna, la llanura parecía hervir exhalando llantos de niño.

El resultado del combate era previsible. Un animal que se bate en el territorio de su adversario siempre tiene desventaja. Aquel día perecieron todas las ratas negras.

Suena el teléfono. Al dejar el libro para ir a atender, Lascano nota con fastidio que nuevamente lo ha cerrado. Protesta.

Pero... ¿qué pasa?, ¿de golpe me volví popular?

Diga. ¿Señor Lascano? Servidor. Soy Sofía Taborda. Qué rapidez. Javier me llamó para decirme que ahora no podía. Así es. Necesito verlo con urgencia, tengo un trabajo para usted. ¿Qué trabajo? Encontrar a alguien. ¿A quién? No puedo decírselo por teléfono. ¿Por qué yo? Tengo referencias suyas. ¿De quién? Venga y hablemos. Vea, señora, con todo respeto, esto me parece de lo más extraño. Estoy dispuesta a pagarle sólo por escucharme. Después usted decide si acepta el trabajo o no. Me parece que lo que usted está necesitando es un confesor o

45

un psiquiatra. Diez mil. ¿Cómo dice? Le pagaré diez mil sólo por oírme, ¿qué le parece?

Lascano se queda mudo, desconfía.

Hola. Sí, acá estoy. Pensé que había cortado. No, señora, es que me tomó por sorpresa. ¿Lo convencí? Confieso que me intriga. Bueno, mi chofer está a la puerta de su casa, él lo puede traer. No sé. En una hora estará de regreso con diez mil en efectivo en el bolsillo. ¿Viene? No sé qué decirle. No diga nada y venga...

El Perro se sienta y se rasca la cabeza. La voz no es de una mujer joven. Suena fina, sincera y desenvuelta, pero en el fondo cree percibir un tono de angustia.

Está bien, pero dígale a su chofer que se vaya, voy por mis propios medios. Hombre precavido. No lo tome a mal. En absoluto, ¿tiene la dirección? Tengo su tarjeta. ¿En cuánto tiempo puede estar aquí? ¿Le parece en una hora y media? Gracias, lo estaré esperando.

10

La entrada al edificio se asemeja a la de un castillo. Largas alfombras, muebles de estilo y el inevitable hombre de gris que controla el acceso.

¿Señor? Vengo a ver a la señora Taborda. ¿De parte...? Lascano.

El tipo lo mira de pies a cabeza mientras levanta el teléfono y marca tres números.

Hay una persona para ver a la señora... ¿Su nombre... me dijo? Lascano. Lascano... Espero...

El enorme ventanal junto al escritorio da a un jardín frondoso, una fuente de mármol con cabeza de león que vomita agua. El verde brilla en contraste con el muro de piedra por donde trepa un ámbar, todavía rojo, en todo su esplendor.

De acuerdo, gracias... Puede pasar, piso 13. ¿Por dónde? ¿Ve esa puertita al fondo? Vaya por ahí.

A pesar de ser pequeña, la puerta pesa una tonelada. Blindada sin duda, hecho que corrobora el sólido cerrojo. La atraviesa, cuatro escalones que dan a un pasillo parecido al de una prisión. Los pisos se suceden lentamente en el mezquino espacio del ascensor.

En el hall hay una sola puerta, toca el timbre. Oye pasos acercándose. La abre una jovencita de piel aceitunada con traje de mucama azul a lunares, delantal con volados y mirada al suelo. Sin decir palabra le hace un gesto, casi una reverencia, para que pase, y cierra.

Sígame, por favor, la señora lo espera.

Atraviesan una cocina de higiene hospitalaria en la que podría hacerse una fiesta para cincuenta invitados. Les lleva sus buenos dos minutos llegar hasta la sala por un pasillo con suelos de roble que huelen a recién encerado. La joven se detiene junto a una puerta doble y lo anuncia.

Señora, llegó el señor Lascano.

Sofía viste una túnica azafrán, lleva un vaso de whisky, un cigarrillo y carga más joyas que Tiffany's. Sus ojos son de un verde deslumbrante, y su sonrisa aún guarda los destellos de una belleza en vías de desaparición. Es menuda y parece frágil. A Lascano le sorprende la firmeza de su mano.

Mucho gusto. Encantado. Perdón, este animal te hizo subir por la puerta de servicio. No tiene importancia. Ya lo voy a poner en su lugar.

A Lascano le sorprende el tuteo y la familiaridad con que lo trata.

¿Qué te puedo ofrecer? Agua, por favor.

Sofía se vuelve hacia la mucama que se quedó a la puerta.

Ya oíste. Sí, señora... Por favor, toma asiento.

Lascano se acomoda en un sillón donde podría dormir una siesta hasta el día del juicio final. Sofía camina diez pasos hasta un secreter, regresa con un sobre que deposita en la mesita frente a Lascano, se sienta en la *chaise longue* y cruza las piernas. El Perro mira el sobre. La mujer despliega otra de sus sonrisas de cincuenta quilates.

Lo prometido. Todavía no la escuché. Pero lo harás, para eso viniste, ¿no es así? ¿Nos conocemos? Sí, pero parece que vos no me recordás. Ilústreme, por favor. El nombre de Sarah ¿te dice algo? ¿Debería?

Entra la mucama y deposita en la mesa un plato sobre el que coloca una copa de cristal, y la llena hasta la mitad con agua mineral francesa que sirve de una botella cuadrada. A pesar de lo mullido del asiento, el Perro comienza a sentirse incómodo, fuera de lugar.

Gracias, Chinita, por favor alcanzame el álbum y la carpeta que están en el escritorio. Sí, señora.

Sofía toma el libro con tapas de cuero, lo abre y pasa las páginas.

Gracias, eso es todo. Cerrá la puerta.

La muchacha se retira, silenciosa como un fantasma. Sofía le pasa el álbum abierto y señala una de las mujeres de la foto en medio de la página.

Ésta es Sarah.

Lascano saca los anteojos y se los calza. Se queda atónito, la otra mujer de la foto es su madre. Joven, sonriente, sujetándose la capelina apoyada en la baranda del puente, en el Rosedal. A los pies de las mujeres cae la sombra de quien tomó la fotografía. Vuelve a mirar a la que le señaló Sofía. Regresan a su mente mil recuerdos de infancia con aquella hermana mayor de su madre a quien había olvidado por completo.

¡La tía Sarah!

Sofía lo mira divertida y algo conmovida.

*Mi mamá. O sea que somos primos. Así es. No sabía que
tenía una prima rica. No sabés lo que me costó encontrar-
te. Pero ¿qué pasó? Tu madre odiaba a Taborda y él a ella.
¿Quién es? Fue... mi marido. Juan Taborda, el rey de la carne.
Yo también terminé odiándolo. Cuando me casé con él nos
peleamos y no volví a ver a tu madre hasta el día de su entierro. Te recuerdo muy seriecito, junto al ataúd, tragándote el
llanto. Juan siempre fue un celoso patológico. En esa época yo
era más frágil, pero nunca le perdoné que nos hubiera alejado.
Desde entonces vivo con la sensación de haber quedado en
deuda con Elisa.*

Lascano deja el álbum sobre la mesa y bebe un trago de
agua.

*Lo del trabajo ¿fue una excusa? De ninguna manera, necesi-
to que encuentres a alguien. ¿A quién? Tengo que contarte una
historia. Adelante.*

Sofía se pone de pie, va hasta la puerta, abre, mira hacia el
pasillo, la cierra y vuelve.

*Lo mejor que hizo Taborda en toda su vida fue morirse... y
dejarme todo su dinero. Yo no era como tu madre, ella eligió el
amor, yo preferí la riqueza. Taborda fue un canalla, pero muy
vivo. Era un as para sobornar a funcionarios del gobierno. En
eso no tenía igual. Malhumorado, bajo, gordito, presumido. Fíjate si sería retorcido que, siendo un antisemita rabioso, se casó
conmigo. Tuvimos una hija, Amalia. En verdad parecía más
hija de tu madre que mía. Era soñadora, idealista, y el dinero
le parecía una carga. Taborda fue un padre celoso al extremo.
La perseguía constantemente. Cuando se enteró de que Amalia
andaba con un tipo casado, veinte años mayor que ella, le dio
un ataque de nervios. Eso y un negocio turbio que se destapó
en tribunales al mismo tiempo le reventaron el corazón. Una
sorpresa, yo pensé que no tenía. Afortunadamente mi modista,*

para el funeral, me hizo un tocado con velo. Yo no podía borrarme la sonrisa de la cara.

Sofía ríe con ganas, a Lascano comienza a caerle simpática la prima.

Volví a mi casa y me encerré tres días con una caja de champán. Tenía más dinero del que jamás iba a necesitar, todavía era joven y sentía unas ganas locas de divertirme.

Se pone de pie, ensaya una voltereta graciosa. En un instante parece haber rejuvenecido treinta años. Vuelve a sentirse divertida, bella y distante de todo pesar.

Aquellas fiestas eran dignas de verse. Como decía Charly Menditeguy, el rey de los playboys: la ley era la moda, el esplendor su decreto reglamentario, y el placer, el bien supremo.

Instantáneamente, de nuevo, vuelve al presente. Toma asiento y regresa la señora madura y acaudalada.

Supongo que ahora ha llegado el momento de recoger las cenizas de aquellas celebraciones..., pero no quiero hablar de eso.

Sofía toma el álbum, lo abre, rebusca y se lo pasa abierto a Lascano.

Mirá, mirá.

En medio de un gran salón, bajo los caireles, aparece Sofía enfundada en un largo vestido largo labrado de ramas y hojas que juegan como una alucinación con el esmeralda de sus ojos, sonrisa de vértigo y una copa flauta en la mano donde burbujea el champán dorado. La rodea una corte de galanes de bigotito pretencioso, altos, elegantes, deportistas y cornudos. A ojos vista, Sofía se deja adorar.

Había que ver a esos hombres. Atléticos, distinguidos, cultos, de buenas maneras: hijos de alta cuna pero sin un centavo. A mí no me importaba, yo tenía fortuna y eso me hacía independiente. Pero cometí un error: me enamoré.

Sofía señala a uno de los galanes en la foto.

Abeledo Perret, un crápula que nunca pude sacarme de encima. Es lo que pasa con los tipos sin dignidad, jamás se ofenden, y mirá que le di motivos de sobra. En fin, siempre me gustaron los chicos malos. Dan muchos disgustos, pero son los mejores amantes. Lo traje a vivir acá. Con Amalia fue odio a primera vista, vivían peleándose, y yo en medio. Hasta que ella se hartó y se fue de casa.

Lascano carraspea para interrumpirla.

¿Es a ella a quien tengo que encontrar?

Sofía se pone seria, en un segundo envejece veinte años. La amargura le traza una profunda arruga en la frente.

No, ella murió. Oh, lo siento.

Sofía hace un gesto para espantar los recuerdos que revolotean como moscas por su frente. Sus ojos están líquidos cuando vuelve a mirar a Lascano.

Tres, cuatro años después, Amalia volvió. Estaba embarazada. Vivía en Mar del Plata con un muchacho de clase obrera. Imaginate. Pero me dijo que era feliz con él. ¿Qué le puede importar más a una madre? No quiso mi ayuda, ni mi dinero y, sobre todo, no quiso saber nada de Abeledo. Me citó en un café para evitar cualquier posibilidad de encontrarse con él. Cuando nació Candela fui a verlas, tuve que hacer mil malabarismos para que Abeledo no se colara. Estuve tres días en el Hermitage. Ella se enojó conmigo porque les llené la casa de juguetes, muebles, heladera y despensa repletas, un televisor y un robus-

*to fajo de billetes en la cuna de la nena. Pero se los dejé igual.
Un mes más tarde, ella y Candela, su hija, desaparecieron. Se
inició una investigación que no llegó a nada.*

Sofía baja la cabeza, se tapa los ojos queriendo borrar lo que
ve dentro de su mente. Su voz se quiebra.

*La encontraron en un descampado, medio comida por los
perros.*

Lascano siente el impulso de levantarse y abrazarla. Sofía lo
adivina y levanta una mano para detenerlo.

*Ya está, ya pasa. ¿Qué querés que haga? Quiero saber qué
pasó con Candela, estoy segura de que está viva en algún lugar.
Quiero que la encuentres y la traigas conmigo.*

Ahora la mirada de Sofía es un ruego desesperado.

¿Cuánto hace de todo esto?

Sofía da un golpecito en la carpeta.

Está todo ahí. No va a ser fácil. Lo sé, Veni, lo sé.

Que lo llame por su apodo de infancia disuelve cualquier
resistencia que Lascano pudiera haber tenido.

*¿No querés saber cuánto te voy a pagar? Lo que a vos te pa-
rezca estará bien... No sé si sos muy vivo y estás obligándome
o confiado hasta la ingenuidad. Sofía, ya me estás pagando una
fortuna sólo por escucharte, lo que sea estará bien... si es que
decido aceptar.*

La puerta se abre y entra el famoso Abeledo. Lascano tiene
la sensación de que el tipo estuvo escuchando la conversación.
Todo en él es largo, serpenteante. El cuello de garza remata en
una cabeza diminuta, lleva el cabello blanco tirante, peinado

hacia atrás. La piel, pálida y lisa, contrasta con sus ojos negros. Su mirada es opaca, como la de un jugador de póquer que ambiciona saberlo todo del otro sin revelar su juego.

Querido, éste es Venancio Lascano, un primo con quien me reencontré casualmente. Estábamos recordando cosas de la infancia.

Abeledo le extiende una mano desconfiada a Lascano. El contacto desagrada a ambos.

Mi amor, debemos prepararnos para la cena con los Schmitt. Por supuesto, Venancio ya se iba.

Como impulsado por un resorte, Lascano se pone de pie. Sofía lo imita. Con empaque de bailarín de tango, Abeledo retrocede para dejarle paso. Sofía recoge la carpeta, mete dentro el sobre con el dinero y se lo da a Lascano.

No te olvides tus papeles.

Lascano lo toma con la mayor naturalidad que puede. Una coreografía muy ensayada: la mucama ya está allí.

Chinita te acompaña hasta la puerta. Ahora que nos reencontramos espero que nos mantengamos en contacto. Así será.

Al besarlo, Sofía murmura al oído de Lascano.

Gracias.

11

Anochece, las calles están desiertas y brumosas. Esta ciudad, que puede albergar a cuatro millones de personas en verano, fuera de temporada, con una población que no llega a los quinientos mil, tiene algo siniestro, algo de pueblo fantasma. Barrios mortecinos, cuadras y cuadras de casas de vacaciones vacías y castigadas por los vientos cargados con el salitre del Atlántico. A cada curva o bache que el ómnibus atraviesa, la carpeta se desliza un poco más por las rodillas de Lascano dormido, hasta que finalmente cae y lo despierta. La chica sentada a su lado se pone de pie y lo ayuda a recoger los papeles diseminados bajo los asientos.

Tenga, abuelo.

Lascano se queda mirándola. Ella no aparenta ser tan joven, ni él tan viejo para que lo llame así. Se detiene en su piel suave, lisa y sin manchas, y piensa que sí, que es muy probable que tenga edad para ser su abuelo. Le agradece y no le habla más. Hasta bien pasado Dolores, el Perro estuvo releyendo la carpeta que le entregó Sofía, los recortes de prensa que dieron cuenta del hallazgo del cuerpo de Amalia, a la entrada de Mar del Plata, en Camet, a un costado de la carretera. En la espalda de la chica el homicida había escrito «puta» a punta de cuchillo. Unos artículos mencionan a un carnicero y un cartonero, sospechosos de ser los autores del crimen, que fueron detenidos por la policía bonaerense. Otros referidos a una docena de poli-

55

cías que estarían involucrados en la prostitución según el fiscal del caso. La anteúltima refiere que la investigación atribuye esa y una docena de muertes más a un asesino de prostitutas al que los periodistas apodan «el loco de la ruta». Fotos de Amalia, sola; con Miguel Ángel, su marido de la clase obrera; con Candela bebé. Lascano calcula la edad que tendría ahora esa niña. Otra foto, Sofía y su sonrisa, abrazando a una Amalia muy seria, en segundo plano, borroso pero reconocible, Abeledo con sus ojos helados. Por último, una breve nota que comenta la renuncia del fiscal.

El ómnibus entra en la terminal dando bufidos y se acomoda en la dársena como una ballena cansada. Al bajar, un viento húmedo azota a Lascano de camino a la panza del transporte para recuperar su maleta. No lo necesita, pero le hace señas a un changarín para que lo ayude. Es un hombre de su edad, lleva un delantal gris, municipal y sucio; la cabeza cubierta de canas que amarillean, al igual que sus bigotazos, por efecto del charuto de hoja que medio fuma y medio masca. Carga el equipaje, rengueando hacia la salida al lado de Lascano.

¿Le busco un taxi, jefe? Dele.

Atraviesan el hall antártico junto al resto de los pasajeros. En los umbrales de los comercios cerrados dormita la gente de la calle sobre colchones desechados o cajas de cartón desplegadas, con las zapatillas atadas a las muñecas. Un perro se rasca, bosteza, se acuesta junto a su amo, cruza las patas delanteras, sobre las que apoya el hocico, y cierra los ojos. El changarín le abre la puerta y pone la maleta en el suelo, al final de la cola del taxi. Lascano saca un billete y se lo entrega. El papel desaparece rápidamente entre las ropas del hombre.

Dígame, ¿dónde está la joda?

El tipo lo mira, se saca el pucho de la boca y señala calle arriba.

Vaya al Besitos, tres cuadras para allá. Gracias.

El changarín regresa el tabaco a su boca, emite un gruñido, se vuelve y desaparece en el hall de la estación. Lascano alza la vista. En la esquina titila el neón del hotel Las Tres Estrellas. Levanta su equipaje, abandona la fila, camina hasta allí y se aloja en una habitación del primer piso, desde donde se ve la calle. Mira la hora y se tira en la cama vestido para aplacar los rigores del viaje. Acá se perdió el rastro de Amalia y acá es donde pretende recuperar el hilo de sus últimos pasos. De noche la ciudad es otro mundo. Es otra gente la que va por sus calles, la que está al acecho y ve bajo el agua, la que lucra con el vicio de los demás. Y es de noche cuando se sale a cazar.

12

No le cuesta nada encontrar el Besitos. Local turbio, con el gorila de rigor apostado a la puerta y cortina roja. Afuera puede haber sol, lluvia, puede ser de día o de noche. Adentro son siempre las seis de la mañana. El bar está casi vacío de clientes. Su entrada convoca la atención de las putas acodadas en el mostrador, de Gumer, el regente que cuchichea con ellas, del muchacho que oficia de barman y se aproxima.

¿Qué le sirvo? Un whisky. ¿Nacional o importado? Nacional.

El muchacho pone un vaso sobre el mostrador, sirve en la medida, la vuelca y agrega un par de chorritos.

¿Hielo? No, gracias.

Regresa la botella a la estantería y vuelve junto a Gumer. Entra un hombre. El Perro le saca la ficha de inmediato: Poroto Molinari. Ladrón solitario, un artesano, no hubo cerradura que pudiera resistir sus finos dedos. En sus buenos tiempos lo llamaban «el as del choreo». Se escurrió todo lo que pudo, y no lo hizo mal, pero al final perdió, como todos. El problema fundamental del delincuente es que está siempre apurado, huyendo de acá para allá, mientras que la policía tiene todo el tiempo del mundo. Puede sentarse a tomar mate a la espera de que cometa el error que lo haga caer: una mina despechada, un rival vengativo, un cómplice que lo vende, el cana que lo protegía y de repente lo entrega, la víctima que lo reconoce en la calle, o la simple casualidad de pasar por el lugar equivocado. Hay criminales que entran en la cárcel como si fuera su casa. Se acomodan enseguida, reconocen a los capos, se adaptan y se juntan con quienes pueden protegerlos, no se meten en quilombos innecesarios y cumplen su condena tranquilamente. Hasta se diría que disfrutan de la vida previsible y sin urgencias de la prisión, del descanso que implica no tener que andar huyendo. Pero ése no fue el caso de Molinari. Tarde se dio cuenta de que había nacido para la libertad. Las paredes de la celda lo asfixiaban, su olfato era demasiado extremadamente sensible para el tufo de los pabellones, su estómago por demás delicado para el bodrio con que lo alimentaban. Su temperamento taciturno lo hacía poco fiable a ojos de la población carcelaria. Para colmo, era físicamente cobarde. Los otros presos la tomaron con él, se sirvieron de él, lo gastaron. Como regalo de despedida, un guardián le pisó las manos. La cárcel lo arruinó. Salió con el terror a volver instalado en las tripas. Fue pintor, albañil, bandoneonista, cantor aficionado, pocero. Se hizo alcahuete de los delincuentes corajudos. Mandadero, espía, informante. Ninguna cosa que implicara ponerse en riesgo, nunca quiso enterarse de nada. Ahora levanta la vista vidriosa de su copa para mirar a Lascano y lo reconoce. No personalmente, su memoria no es tan buena, pero sí su función. A un cabezazo del regente, una de las chicas se acerca a Lascano haciendo campanear una minifalda más ancha que larga.

¿Me invitás una copa, papi?

Lascano le sonríe apenas.

Más tarde puede ser. Decile a Poroto que se acerque.

Los ladrones, al llegar a viejos, se hacen cuenteros, levantan juego o venden cocaína. Molinari se sienta a medias en un taburete junto a Lascano y ensaya su sonrisa estúpida.

¿En qué andás, Poroto? Limpio, ¿qué necesita? Saber de una piba que anduvo por acá. ¿Quién? Amalia. Ni idea.

Lascano pone la foto de Amalia sobre el mostrador y la señala. Poroto palidece, se le borra la sonrisa. De soslayo repara en que Gumer lo está observando. Discretamente, Lascano le pone una mano en la rodilla y la cierra con fuerza.

Tenés dos posibilidades, Poroto, me contás lo que sabés o te llevo a la comisaría.

En rápida sucesión, Molinari mira a Gumer, a la puerta y a Lascano. Ruega con los ojos.

Yo no le dije nada, ¿okey?

El Perro lo suelta.

No te preocupes. Bueno, hable con la Pocha. ¿Quién es? Antes laburaba, ahora maneja un cabarute por el lado de Constitución. ¿Cómo se llama el lugar? Litle Lav.

Subrepticio, Lascano le pone un billete en la mano. Molinari la cierra de inmediato, se la lleva a la boca, tose y mete el dinero en el bolsillo interior del saco.

Yo no le dije nada, ¿eh? Está bien, tomátelas.

Gumer lo sigue con la vista mientras se dirige a la puerta con la cabeza gacha. Un paso antes de salir, Poroto le echa una ojeada nerviosa. Lascano alza la mano en dirección al barman.

¿Qué te debo?

El taxista que lo recoge en la puerta del Besitos maneja de costado, echado sobre el volante, abrazándolo con rencor. Lascano le indica que tome para el lado de Constitución. El chofer lo mira por el espejo, pone en marcha el reloj y arranca.

¿No había mercadería en el putero? Había, pero estoy buscando a alguien. ¿A quién, se puede saber?, las conozco a casi

todas. Amalia. A ésa no la tengo, pero muchas se cambian el nombre.

El coche frena junto a la puerta del tugurio. Neón Little Love, gorila en la puerta, cortina roja. Adentro, la música a todo volumen.

Saca la mano, Antonio,
que mamá está en la cocina.
Dame un beso, Lupita, que tu mami no nos mira.
Saca la mano, Antonio, que me puedo entusiasmar,
y si mamá nos viera nos tendremos que casar.

Tras el mostrador, una mujer grande, Pocha, habla con el lavacopas. Lascano se acomoda en un taburete al final de la barra. Dos chicas bailan con un tipo en la pista. En las paredes se alinean los reservados donde se reúnen las otras chicas, sentadas en grupos de dos o de tres. No puede distinguir las caras en la penumbra de la que asoman sus piernas. Pocha se acerca.

¿Qué te sirvo? Whisky. ¿Hielo? No, puro, en vaso largo.

La mujer toma la botella y el vaso y los apoya sobre la mesa. Se agacha a buscar el jarrito medidor.

Ando en busca de una piba.

Pocha emerge, destapa la botella y arrima la medida al pico. El Perro pone la foto sobre la barra y señala.

Se llama Amalia.

Gestos apenas perceptibles que para Lascano son una sucesión de instantáneas. El movimiento de las manos de la mujer suspende botella y medida en el aire una milésima de segundo. Tras las pestañas postizas, una sombra cruza sus ojos. La comisura se frunce en un tic involuntario. Inhala y exhala corto. Sirve generosamente en el vaso de cóctel.

61

No la conozco. Pero tengo a Jazmín. Dieciocho añitos recién cumplidos, un bomboncito, ¿querés que te la mande? No, gracias. Bueno, cualquier cosa, a la orden.

Hay algo mecánico, militar, en el giro de Pocha con que le da la espalda para retirarse. Camina arreglándose el rodete. Su cuerpo aún conserva ciertas formas, sus modales tienen la displicencia de alguien que ya se cansó de todo. Al Perro lo ataca un repentino y denso malhumor, bronca consigo mismo: se precipitó con la pregunta. La puso en guardia y sabe que ya no va a sacarle información. Tendría que haberle pedido al taxista que lo esperase. Se siente cansado, toma un cuarto del vaso de un trago y se arrima a la caja.

¿Qué le debo?

Cuatro de la mañana. Mala noche. Alta y delgada, Juja regresa al departamento con ese paso errático que agita sus rulos teñidos de naranja. Veinte metros antes de llegar lo ve. Poroto la espera semioculto en el umbral. Juja mete la mano en la cartera, saca un cigarrillo, lo enciende, aspira profundamente, suelta el humo que se queda flotando en el aire, pegado a la bruma, y se detiene junto a él.

¿Qué hay, Poroto?

Molinari la mira con ojos de perro, se pasa la mano por la nuca.

Quería verte.

Juja aprieta el cigarrillo con los labios y aspira. En simultáneo larga el humo frunciendo los labios como si fuera a silbar, tira el pucho al suelo y lo aplasta con su zapato de tango.

Pasá, pero sin hacer ruido, el nene duerme. ¿Cómo está? Más o menos, el clima de acá es una mierda para el asma.

13

Hay que empezar de nuevo, desde abajo...

Le dijo la Momia, y aquí está. Otra vez en la ruta, en el campo, con los riñones que parecen haberse pegado al asiento del ómnibus, con la rabia de tener que volver a la provincia de la que huyó años atrás. Este negocio tiene esas cosas. Salir de la cárcel le costó todo lo que tenía, y más. Quedó en deuda, y en este negocio las deudas se pagan. De una forma o de otra, se pagan. Mira el reloj. Entra al Angelitos, se sienta a una mesa junto a la ventana, pide una cerveza y espera, al acecho. Éste es su coto de caza. Llega Chini, va hasta el mostrador, recoge un vaso del escurridor sobre el fregadero, le pide a Ramón otra botella y una picada de salame y queso. Se reúne con su socio.

¿Qué me tenés? Un paquete de primera. A ver. Quince años, pero pasa por dieciocho como si nada. ¿Está linda? Un primor. ¿Familia? La mayor de cuatro. Cuando puede, Braulio, el viejo, hace changas en la construcción. La madre, nada, no existe. Ajá. Hace unos días les cayó el hermano del padre con toda su parentela, son cuatro. Vinieron buscando refugio porque se les quemó el rancho. ¿Y? Ahora una familia se apiña en una habitación y los demás en la otra. ¿Cuándo la conozco?

Chini mira la hora entrecerrando los ojos, gesto que lo hace más chino aún.

En media hora estará por aquí. ¿Tiene trabajo? Ya no, cuidaba a una vieja enferma en la ciudad, pero se murió hace unos días. Fue a tratar de cobrarle a los hijos.

¿Cómo te llamás? Lindaura, patrón. Lindo nombre.

La chica baja los ojos avergonzada. Yancar aprovecha para inspeccionarla. Buenas tetitas, es blanca, no muy alta pero bien proporcionada. El pelo lacio, de india. Teñido de rubio le va a quedar fenómeno.

A ver, linda, mirame.

Lindaura levanta la vista. Sus ojos son del color de la miel.

«Buena mercadería», piensa Yancar, y le hace a Chini un gesto de aprobación.

Mirá, chiquita, acá el doctor Corona necesita una muchacha como vos, buena presencia y bien dispuesta, para trabajar. ¿Te interesa? Sí, don Chini. Pero el trabajo es en la capital, ¿qué decís? Tendría que preguntarle a mi papá. Vas a cobrar cuatrocientos pesos por mes. ¿Qué te parece?

Lindaura abre los ojos.

¿Cuatrocientos?

Yancar le toma la mano, está transpirada.

Cuatrocientos, casa y comida. Tendría que preguntarle a mi papá.

Chini gesticula con el palillo en el que ensartó un cubito de salame y otro de queso.

No te preocupes, vamos a ir a hablar con Braulio y va a estar todo bien. Ya vas a ver.

La chica baja los ojos nuevamente. Yancar le da un pequeño apretón a la mano.

¿Te gustaría ir a la capital? Ay, no sé, dotor, nunca salí de acá. Te va a gustar, tranquila, ¿eh?

A las seis de la mañana, vestidos con ropa de domingo, la familia entera aguarda en la terminal del ómnibus. Apoyada en la columna del andén 13, doña Eulalia no para de lagrimear. Braulio se impacienta.

Deje de llorar, mujer, que no se va a la guerra.

Eulalia responde con el gesto de dejame tranquila. Lindaura, con los pies juntos pegados a la valija de cartón, aferra la carterita negra que un par de horas atrás le regaló su mamá. Los hermanitos corren por la estación, se empujan y ríen con voz de pájaro. Braulio mira el reloj. Faltan quince minutos. Están ahí, sin moverse del lugar desde hace casi una hora. El ómnibus maniobra, se detiene en la dársena y abre la puerta. Bajan los choferes, encienden cigarrillos y conversan. Detrás se apean los pasajeros entumecidos y van en busca de sus equipajes. Brenda llega corriendo y abraza a Lindaura. Está muy excitada con la partida de su amiga. Entre la multitud se destaca la figura de Yancar, avanzando hacia ellos con sonrisa de magnate. Braulio se quita el sombrero.

Buen día, Braulio. Señora... Buen día, dotor.

Yancar repara en Brenda.

¿Y vos?

Brenda le sonríe.

65

Soy Brenda, dotor, amiga de Lindaura. Uy, si te hubiera co-
nocido antes, te llevaba también. ¿Te gustaría? Ay, dotor, claro
que me gustaría. ¿Lo conocés a don Chini? Claro que lo co-
nozco, es el compadre de mi papá. Bueno, en mi próximo viaje
hablaremos. Lo que usted diga, dotor.

Yancar mira a Lindaura.

¿Lista?, ¿estás contenta?

La chica asiente con la cabeza.

¿Ésta es tu valija? Sí, dotor.

Yancar la levanta, la lleva hasta el chofer, se la entrega, toma
el recibo, se lo mete en el bolsillo y regresa junto a Braulio.

Bueno, familia, ya tenemos que subir. Cuídemela, dotor. No
se preocupe por nada, Eulalia, va a estar como en su casa, me-
jor que en su casa. Ya les voy a mandar la dirección de su tra-
bajo.

Yancar mete la mano en la chaqueta, saca la billetera, extrae
un fajo de billetes de veinte y se pone a contar en voz alta, sin
mirar, observando el efecto que produce en la familia: en trance
hipnótico, ven pasar uno tras otro los billetes en las ágiles manos de timbero de Yancar.

...siete, ocho, nueve y diez.

Sonríe y le ofrece los billetes a Braulio. El hombre se seca
la transpiración de las manos en el fundillo del pantalón, los
toma, hace un rollo y los embute en el bolsillo pequeño.

Gracias, dotor. No me agradezca, esto va a cuenta del sueldo
de Lindaura. Sí, dotor, claro, dotor. Bueno, los dejo que se des-
pidan. Lindaura, te espero arriba. Sí, dotor.

Yancar se acerca a los choferes, les entrega los pasajes, señala a Lindaura y sube. Busca su asiento y se acomoda del lado de la ventanilla, desde donde puede verlos. Eulalia abraza a su hija una y otra vez, le arregla el pelo, le da recomendaciones. Lindaura se agacha y abraza a sus hermanos. Yancar saca su teléfono móvil y envía un mensaje.

Lindaura se alza y con su madre se miran a los ojos. Eulalia se quita la cadena con la medalla milagrosa, se la pasa por la cabeza a su hija y se persigna.

Aquí tiene, m'hijita, para que la proteja.

Braulio muestra gestos de impaciencia, Brenda también larga el moco. Eulalia le aferra la mano a Lindaura. El chofer le hace señas para que suba. Tiene que hacer un esfuerzo para soltarse de la mano de su madre. Se vuelve y encara la entrada del vehículo. Sube. Mira hasta que localiza a Yancar y avanza por el pasillo. Mientras va acercándose, Yancar se pone de pie para cederle la ventanilla. Lindaura ve ahora un brillo en sus ojos que la inquieta. Se sienta y Yancar se ubica a su lado. En el andén, la familia saluda agitando las manos. El ómnibus retrocede a trancos hasta que sale de la dársena. Se detiene, da un brinco y arranca. Lindaura se vuelve para ver hasta último momento a su madre, su padre y sus hermanos. El vehículo gira por la explanada y desaparecen. Se vuelve. Se reclina en el asiento. Yancar es muy grande, le deja poco espacio, se siente apretada, le falta el aire, y tiene enormes deseos de llorar, pero se contiene. El paisaje se acelera.

14

El movimiento llama al ojo. Mirándolo directamente, un tipo obeso se acerca resoplando a la mesa del desayuno. Detrás de él, un gigantón aguarda con una mano apoyada en el mostrador de la conserjería. Entre otras cosas, los delata la marca que la gorra deja en su cabello: oficiales de la policía bonaerense. Cierra la carpeta y se quita los anteojos. Sin preámbulos, el gordo se sienta a la mesa del Perro.

Buen día. Buen día. ¿A qué debo el honor? Anoche anduviste haciendo preguntas. ¿Está prohibido?

El hombre apoya un codo en la mesa y le extiende la otra mano.

Soy el comisario Lobera, mucho gusto. Lascano, encantado. Yo sé quién sos, el Perro, de la Federal. Las malas noticias viajan rápido. ¿Sabés?, la semana pasada fui al médico. ¿Ah, sí? Tengo el corazón agrandado. ¿Vino aquí para contarme sus problemas de salud?

Oscurece como si estuviera haciéndose de noche. El ambiente se torna aún más pesado y pegajoso. Lobera transpira tanto que Lascano teme que lo vaya a salpicar. El comisario se toma un instante para clavarle sus ojos, pequeños y negros, pepitas de níspero.

No me extrañó el diagnóstico. Al contrario, siempre fui un tipo de gran corazón. Me alegra saberlo. Pero de poca paciencia. Anoche preguntaste por Amalia, sabiendo que está muerta, ¿qué estás buscando? A su hija. ¿Quién la busca? Su abuela. No la vas a encontrar. ¿No? Nosotros no pudimos dar con ella y mirá que movimos cielo y tierra. A lo mejor tengo más suerte. Uno tiene suerte hasta que se le acaba. Es verdad, la suerte no dura para siempre. Te voy a contar lo que sé. Adelante. La madre de la piba ésa hacía la calle. Ajá, ¿y? Fue por la época en que apareció el loco de la ruta, uno que se entretenía matando putas que después tiraba a los descampados cerca de la 2. Conozco la historia. Pero a Amalia se la llevaron de la calle en pleno día, con la nena. ¿Y eso qué tiene que ver, o la locura tiene horario? No, no tiene, pero nunca encontraron al famoso loco. No, nunca. Ni a Candela. Es más fácil deshacerse del cuerpo de un bebé, probablemente lo descuartizó y lo arrojó al mar. ¿Por qué habría de tomarse todas esas molestias por ella? Andá a saber, ¿quién entiende la mente de un loco? Lobera, ¿puedo hacerle una pregunta? Preguntá lo que quieras. ¿Por qué está aquí, conversando conmigo sobre este asunto? Ya te lo dije: soy un tipo de gran corazón y vos te estás metiendo en terreno peligroso. No me diga. Te lo digo.

Se suelta una lluvia densa y cerrada. Sin levantarse de la silla, Lobera se quita la chaqueta, la cuelga del respaldo y señala con la cabeza a través de la ventana. Tras la cortina de agua, desde la empalizada de una obra en construcción, en los anuncios publicitarios sonríen varios candidatos a intendente.

Decime una cosa, ¿dónde se aprende a ser policía?

Lascano toma un sorbo de agua.

¿Dónde? En la calle. Aprendemos de los delincuentes. Ellos son nuestros maestros. ¿Nuestros maestros o nuestro ejemplo, Lobera? Como quieras. Yo tengo a mi cargo una comisaría. Qué bien. ¿Tenés idea de cuánta guita me pasa el Estado para que la haga funcionar? Ni la más remota. Hacé el cálculo: cua-

renta hombres, seis móviles, cinco administrativos, normalmente entre diez y quince presos a los que tengo que dar de comer, papelería, gastos de oficina, combustible... Ya entendí... Bueno, para todo eso me dan mil por mes. ¿Qué te parece? Que no alcanza. ¿De dónde creés que sale lo que falta? ¿De algún instituto de caridad?

Lobera ríe con todos sus dientes.

Me hacés cagar de risa, Lascano. La risa es salud. El resto me lo tengo que conseguir yo. Es un trabajo abnegado. No te hagas el vivo, vos sabés muy bien de dónde sale la plata. Nunca tuve una comisaría. De la calle, Lascano, de la calle. No somos muy distintos de los delincuentes a los que perseguimos. Venimos del mismo lugar, tenemos las mismas necesidades, pensamos de manera similar. No somos unos santos, eso lo sabés muy bien. Yo suponía que estábamos en guerra con el crimen.

Lobera se pone súbitamente serio.

Esto no es una guerra, Lascano. ¿Ah, no? No, las guerras algún día terminan.

Señala, a través de la ventana, los avisos publictarios de los candidatos.

¿Sabés una cosa?, al lado de estos tipos somos nenes de pecho. Están metidos en todos los negocios que te puedas imaginar y en muchos con los que ni siquiera podrías soñar. Lobera, perdóneme, ¿adónde quiere ir a parar?

El gordo saca un pañuelo y se seca la frente con impaciencia.

Lo que sí nos diferencia de los delincuentes es que pertenecemos a un cuerpo. Tenemos respaldo. Eso nos protege. A los políticos les interesa que nos llevemos bien con ellos, que no nos metamos en sus asuntos. Si nos manejamos con inteligencia, nos dejan tranquilos con los nuestros. Sigo sin entender.

Lascano, no te hagas el boludo. Vos te jubilaste, ya no estás en la Federal, actuás por la libre. ¿Y? ¿Cómo que y?, nadie te protege. Estás más solo que Adán en el día de la madre. ¿A quién jodo buscando a una piba que, según me cuenta, fue víctima de un loco suelto? Jodés al negocio, Perro. Si te ponés a desenterrar algunas cosas, podés terminar enterrado vos. ¿Le parece? Mirá, si seguís con esto vas a llegar al verdadero tema de la cuestión. ¿Qué es? La guita, Lascano, la guita. Todo es una cuestión de guita. Tarde o temprano vas a llegar a la guita. Si perseguís el delito, podés llegar a los criminales de segunda. Pero si seguís la ruta del dinero, Lascano...

A Lobera la sangre se le sube a la cabeza con la que señala en dirección de los carteles electorales.

...te vas a meter en el terreno de los grandes criminales. Este negocio de las putas llega más arriba de lo que creés. No trates de cagar más alto de lo que tenés el culo. ¿Es una advertencia?

Lobera se pone de pie.

Un consejo.

15

La pequeña Victoria duerme. Eva se echa una camisola por encima del cuerpo desnudo. El roce del algodón le produce algo así como un escalofrío, pero no exactamente. Abre las celosías verdes al paisaje, también verde, al mar también verde, a la arena mojada. Se apoya en el dintel de madera, mellado por el sol y la sal. Hace varios días que llueve. Mira hacia el alto camino que viborea en la *serra do mar* por donde vendrá Antonio. Está segura de su regreso, él siempre vuelve. Y así es, pero presiente alguna otra cosa, no sabe bien qué en este preciso momento. El aguacero le recuerda sus quince años, la lluvia que terminaba por borrarles la memoria a los pobladores de Macondo, cuando aún era un lugar que no figuraba en el mapa de la Muerte. Pero ésta no tiene la virtud de lavar los recuerdos. Buenos Aires es una ciudad que relumbra en la cartografía de la Parca. Quisiera que Antonio ya estuviera allí para que sus palabras la ayudaran, una vez más, a aceptar hechos imposibles de comprender. Lo que pudo haber sido y no es. Siente claramente, ahora sí, que esta lluvia está trayendo algo, la evocación serena y triste de la ciudad que no ha vuelto a pisar. Tanto amor perdido... Antonio hace días que está raro. Nunca lo ha visto así, ensimismado, rehuyendo la conversación, alejándose por la playa, ofuscado, solitario. Le parece muy extraño, teniendo en cuenta la velocidad y la profundidad con que se adaptó a la cultura brasilera, al contrario de ella, que nunca dejó de sentirse extranjera. Fuseli, no. La gente no le cree que sea argentino cuando lo oyen hablando en portugués. A ella se le mezcla constantemente con el italiano y el castellano, en un galimatías que le anuda la lengua. Antonio se volvió un chef experto en cocina brasilera: *carne do sol, moqueca de camarão, paozinho de batata, peixe assado no leite de côco* son sólo algunas delicias de un recetario que no cesa de ampliar. Eva no ha dejado un minuto de extrañar el asado criollo. A él le gustan su gente, su música, sus modos, sus lluvias y su sol. Eva prefiere el reparo, la sombra, siente nostalgia de la ironía de los porteños, y desde que llegó, el tango es lo que más armoniza con el estado de su espíritu. Ella sale únicamente cuando es imprescindible, se encuentra más a gusto en la casa, con su hija y sus cosas. A Fuseli le encanta la vida social. Acá descubrió su arrolladora vocación por la oratoria. Pasa horas y días estudiando los temas más diversos para las conferencias que dicta por todo São Paulo, donde ya se ha convertido en una celebridad entre los universitarios, los artistas y los escritores. Eva se recluye a rumiar su tristeza.

Su padre fue un hombre de una simpleza genial. Recién ahora lo entiende, cuando a dos mil kilómetros de distancia se desliza lentamente hacia el fin, arrasado por el accidente cerebral que lo confinó a un limbo que lo protege de todos los recuerdos, de todos los pesares. La esposa, su madre, proveyó cuanto pudo la dignidad necesaria mientras buscaba a Juan, el hijo de su hermana Estefanía, que fue secuestrada, torturada, violada, drogada y arrojada al inconsciente mar. Quizás en estas aguas que ahora contempla desde su atalaya, algo de ella flote todavía. Y Antonio que aún no regresa...

Mierda, carajo, vida puta, tener tantas razones para la melancolía...

...y Eva tan lejos de todo aquello en la geografía, pero el dolor, por viejo no menos penoso, siempre cerca. Levanta la vista nublada a la carretera por donde aparece, solitario –no es época de turistas–, el auto celeste en el que Antonio desciende la *serra*. Debe de venir escuchando a Rita Ribeiro cantando «Impossível acreditar que perdi você», o el incomparable «Déjà vu» de

Natalia Coox. Está ahí no más, pero los caprichos del *mato* alargan el camino con miles de curvas y recodos, desde donde, a la sombra de los árboles y las enredaderas, le gusta imaginarse que una onza lo mira pasar. Hermana pequeña del leopardo manchado y fiero, con ojos que despiden rayos de hambre y de pasión. Le recuerdan los del hombre que amó, aquel tipo salvaje y tierno al que balearon los perros de la dictadura cuando trataba de salvarla de ellos y de sí misma. La pequeña Victoria se revuelve en su cama. A Eva se le ocurre que su hija lo está soñando, tantas veces se sorprendieron pensando lo mismo, sintiendo lo mismo. Tantas veces la ayudó a llorarlo mientras, a respetuosa distancia, comprendiendo sin preguntar, dolido también él, Antonio se ocupaba de que el té de jengibre hirviera lentamente a fuego chico. Ahora está llegando y desea que lo haga antes de que Victoria despierte, para sentarse en la terraza, tomarse de las manos y conversar de quien fuera su amigo, su amor, la razón de este presente del cual la furia en uniforme lo desterró. La vida hoy es buena y triste gracias a él.

Ni un solo momento, macho, hombre solo en el mar, he dejado de extrañar tu cuerpo.

Tampoco su silencio, su mirada llena de ausencias, sus manos lentas, y rápidas, su sexo irguiéndose dentro de su cuerpo, llenándola, completándola, desvaneciéndola en la cruz de la pequeña muerte. Un nunca más que no puede aceptar. Contra todos los pronósticos de que el tiempo iría borrando su presencia; contra la sabiduría de las gentes experimentadas en duelos, está todavía encallada en la incredulidad, en la resistencia a creer que haya muerto. Por la Rua Lontra ya oye el motor asmático de la *bolinha* jadeando la cuesta. Bajo la ventana, el auto se detiene con un bufido de alivio que siempre parece presagiar su deceso. Antonio baja, levanta la vista hasta la ventana desde donde Eva deja caer una sonrisa triste que dice necesitarlo. Pero esta mañana él no le responde con la suya, que promete abrazos, oídos atentos, palabras certeras. Se lo ve pálido, absorto, irreconocible. Este hombre que parece haberlo visto todo, reflexionado todo, para quien nada es extraño sobre la tierra o bajo ella, ahora tiene el gesto complicado de quien se ha topado con un fantasma. Lo observa trepando las escaleras a paso meditado, cargando dos bolsas de plástico celeste. Su cuerpo le adelanta noticias tremendas. Eva abandona la ventana y sale a recibirlo en la terraza. Antonio la abraza con fuerza inusual. Su voz es un *choro* en el oído de ella.

Ay, Eva.

La revelación que está a punto de producirse los sienta a la mesita sobre la que él pone un ejemplar de *La Nación*, dos días viejo. A ella, en un relámpago, le viene a la cabeza el tema de su infancia que Estefanía no dejaba de escuchar: «Who wants yesterday's papers».

Tengo que contarte algo.

Eva se vuelve rápidamente hacia él preguntando sin hablar. La boca del hombre insinúa una sonrisa, sus párpados se cierran, vuelven a abrirse pausadamente y asiente con la cabeza.

¿Qué cosa?

Con infinita preocupación, Antonio se cubre la boca con la mano. Su voz es un hilo.

El Perro está vivo.

El asombro pinta su máscara en el rostro de Eva. Antonio ríe y llora al mismo tiempo.

¿Qué decís? Que está vivo.

Silencio. A Eva la invade un ciclón de sentimientos que se confunden. Pero en el ojo del huracán reina la calma, la certeza. La muerte de Lascano nunca se instaló dentro de ella. Su alma empecinada jamás lo aceptó, nunca sintió que se hubiera cortado el hilo invisible que los une. Ahora las palabras de Antonio le gritan que tiene razón, que siempre la tuvo. Que Lascano muerto fue una idea equivocada, irreal, que no se había engañado, que su deseo no la había extraviado, que está vivo, vivo, vivo. Antonio se suelta en una carcajada, se abrazan, bailan bajo la lluvia que ahora cae mansa como una bendición, y ríen, y se besan, y sienten que la alegría les va a hacer estallar la sangre.

¿De verdad? De verdad. ¿Cuándo te enteraste? Hace una semana, cuando llamé a Buenos Aires. ¿Y recién ahora me lo decís?

Antonio se separa de Eva con la cabeza gacha. En un instante se convierte en un niño avergonzado.

Perdoname, pero presiento que voy a perderte.

Eva le pasa la mano por la cabeza con ternura.

Vos nunca vas a perderme...

...le dice, pero su mirada se extravía hacia el sur, vagando por la bruma que difumina el horizonte.

16

Siempre de noche. Nunca lo vio a la luz del día. Alto, flaco y almidonado, la Momia se corporiza frente a Yancar y se sienta. Afuera está el Pardo Rocha, su sombra filosa. Vigila recostado contra el auto negro, con la manos cruzadas por delante, moviendo constantemente su cabeza de bulldog a izquierda y derecha. La Momia observa a Yancar sin decir una palabra, obligándolo a hablar primero.

¿Qué tal, cómo anda? ¿Cómo vas con la chica? La estoy ablandando. ¿Y? Todo bien. ¿No se retoba? Al principio un poquito, nada que no solucionen un par de bofetadas y unos gramos de merca. Bien. Mandala al Besitos de Mar del Plata. Ahí recogés a Irupé y la llevás para el Mimos de Azul. De allí sacás tres para reforzar la costa. ¿Irupé está dando problemas? Hay uno que la viene a buscar demasiado seguido. ¿Un Romeo? Nunca falta un imbécil que se enamora de una puta. Delo por hecho. Ah, estoy necesitando algo de guita.

La Momia le clava los ojos. No dice nada. Aprieta los labios. Mira alrededor. Con exasperante lentitud, mete la mano dentro de la chaqueta y saca su billetera. Observa el interior detenidamente. Cuenta varios billetes sin extraerlos. Vuelve a pasar revista al salón. Saca los billetes, los dobla en dos con parsimonia, los coloca sobre la mesa, los empuja suavemente con sus dedos manicurados y rápidamente desaparecen en manos de Yancar.

¿Algo más? Sí, hay otra chinita de La Carmela que se muere por venirse a la ciudad. ¿Qué tal está? Jamón del medio. Bien, cuando vuelvas lo arreglamos. Lo que usted mande. ¿Los cazadores tienen algo? Están en eso, ¿trajiste las fotos?

Yancar le entrega un pequeño sobre que la Momia abre para inspeccionar las fotografías de Lindaura. Hace un gesto breve de aprobación. Yancar se pone un cigarrillo en los labios. La Momia desaprueba con la cabeza.

Acá está prohibido fumar. Lo voy a encender cuando salga. Largá esa porquería, te va a matar. De algo hay que morir. Como quieras.

La Momia se reclina y hace otra de sus largas pausas.

Hay otro tema del que quería hablarte. Usted dirá. Quiero reemplazar a Gumer. ¿Se mandó alguna cagada? Me parece que se está quedando con los vueltos. Además, en lo que va de año se le escaparon dos. Eso está muy mal. Le perdí la confianza. ¿Con quién lo quiere reemplazar? Pensé en vos, ¿te animás? A mí lo de regente mucho no me va, soy un cazador, me gusta la calle. Sería sólo por un tiempo, hasta que consiga a alguien. ¿Puedo pensarlo? Pensalo tranquilo.

La Momia espera impasible. Yancar se inquieta.

¿Le tengo que contestar ahora? Lo estás pensando, ¿no? Sí, lo estoy pensando. Espero, tengo tiempo.

Los dos hombres se quedan en silencio. El camarero se acerca.

¿Va a tomar algo? Johnnie Walker negro, dos piedras. Enseguida, señor.

Afuera, la calle va quedándose vacía. Los faros de los automóviles se reflejan en el asfalto todavía húmedo por el chaparrón que cayó media hora antes. El camarero regresa y sirve la bebida. Con destreza de prestidigitador, la Momia hace aparecer un billete en su mano y se lo tiende. El mozo lo toma, lo mira a trasluz, lo guarda en su billetera y entrega el vuelto.

Gracias, señor.

La Momia inquiere a Yancar con un movimiento de cabeza.

¿Qué hay para mí? El veinte de lo que hagan las chicas del Besitos. ¿Y de la venta? El diez. Okey.

La Momia sonríe sin despegar los labios.

Sabía que podía contar con vos. Otra cosa, Gumer se tiene que ir, ¿eh?

La Momia le devuelve las fotos.

Apenas llegues a Mar del Plata, hablá con la Chancha para que le haga los documentos a la piba. No quiero quilombos, ¿entendido?

Se pone de pie, bebe su whisky, gira y sale. Desaparece como si nunca hubiese estado allí.

17

Marcelo es rubio enrulado, usa remera de La Martina, Levi's y mocasines náuticos sin medias. Corina, su hermana, también rubia, prefiere pollera tableada, camisa anudada y Nikes. Podrían pasar tranquilamente por un par de estudiantes universitarios de clase alta. En el asiento trasero, Troilo tiene la cabeza vuelta hacia atrás, al acecho a través de la luneta. Por la explanada de la terminal descienden los ómnibus de larga distancia, giran por Perette y pasan a su lado. Troilo le toca el hombro a Marcelo.

Ahí viene.

Marcelo mira por el retrovisor. Mientras cae la noche, por la calle Diez, acceso oficial a la Villa 31, viene Dalma a paso tranquilo.

¿Para dónde va? La piba labura haciendo limpieza en la Casa de la Moneda. Acá en la esquina dobla a la izquierda, va hasta Gendarmería y cruza por allí. Siempre hace el mismo camino.

Por la vereda, Dalma pasa junto al coche, mirando al suelo. Corina se moja los labios con la lengua.

Linda la negrita.

Marcelo alza un billete hasta su hombro, Troilo lo toma. Marcelo enciende el motor.

Tomátelas.

Troilo baja, cierra de un portazo y trota para internarse en la villa. Marcelo acelera, cruza Antártida Argentina, le da la vuelta a la manzana y se detiene en el semáforo. A través de la avenida puede ver la silueta de Dalma avanzando hacia ellos.

Agarrá el mapa.

Corina abre la guantera y lo saca. La luz cambia, atraviesan la avenida y se detienen en la esquina de Gendarmería. Dalma está a cincuenta metros. Corina baja, cierra su puerta, abre la trasera y despliega el mapa sobre la tapa del maletero. Marcelo se coloca a su lado y simulan buscar algo en el plano. Dalma se acerca. Corina le habla a Marcelo en voz alta.

¡No ves que no sabés nada!

Dalma los mira. Corina se vuelve hacia ella y señala el mapa.

Hola, ¿puedo preguntarte algo?

Dalma asiente con la cabeza y camina hasta ellos. Corina retrocede un paso y pone un dedo sobre el papel.

¿Cómo llego hasta acá?

Dalma se ubica entre Corina y la puerta trasera abierta para mirar el plano. Marcelo alza la cabeza y controla en toda dirección. Se mueve hasta quedar detrás de Dalma. Al verse rodeada, la chica se alarma. Marcelo le clava el cañón de su pistola en las costillas.

Si decís una sola palabra o te movés, te cago a tiros.

Azorada, Dalma balbucea.

N-no te-tengo plata.

Corina la empuja.

Metete en el auto y callate.

La chica obedece. Corina toma el mapa y, plegándolo, le da la vuelta al coche. Entra y se sienta junto a Dalma. Marcelo le pasa la pistola a Corina y empuja a Dalma hacia ella. Mete medio cuerpo en el auto, la toma con fuerza por los brazos y la obliga a girar hacia Corina. Marcelo aprieta las manos y mira a su hermana.

Dale.

Corina deja la pistola sobre su falda, saca un frasco, rocía con el líquido un pañuelo y se lo estampa a Dalma en la cara cubriéndole la nariz y la boca. La chica se revuelve pero la sujeción de Marcelo le impide moverse. Siente un cosquilleo que le sube por las narinas, mareo y los párpados que pesan una tonelada. Se desmaya. Marcelo la suelta, la acomoda en el asiento para que parezca dormida y cierra la puerta. Suspira, se pone al volante, saca el celular y pulsa la tecla 3 de marcado rápido.

La Momia mira el visor de su teléfono, donde se lee «cazadores», y presiona la tecla verde.

Sí.

Marcelo sonríe.

Ya la tengo, la llevo para la cueva.

La Momia no hace gesto alguno.

Okey.

Cierra la tapa del teléfono, lo deja frente a su plato, toma los cubiertos de plata y corta un trozo de carne. Su mujer termina de tragar y lo mira.

¿Quién era? Número equivocado.

18

Lascano vio a Lobera conversando con el taxista que lo había llevado hasta el Little Love de la calle Constitución. Eso lo decidió a alquilar un auto. Despertando de su letargo invernal, la ciudad se despereza ruidosamente. Lo que ayer eran calles desoladas, hoy es un hervidero de camiones que llevan y traen mercaderías, materiales de construcción, mobiliario para los comercios. Las persianas fueron levantadas y por todo el centro los tenderos vigilan el progreso del acondicionamiento de sus locales para la temporada turística. Los meses de invierno se arrastraron penosos, grises y húmedos, pero ya se anuncia el verano y renace la esperanza de que este año los veraneantes vengan a millones y con mucho dinero para gastar. A medida que se aleja de la zona comercial hacia los barrios de servicio, el paisaje va cambiando. La edificación se achata y, despojada del maquillaje para atraer turistas, deja a la vista las grietas de su construcción barata. Puertas de chapa descolorida, algún perro, veredas carcomidas, industria precaria.

Por fin llega: el cartel desteñido anuncia Tintorería Industrial Todocolor. Lascano baja del auto. Cuatro niños juegan al fútbol con una pelota de trapo. Presiona el botón del timbre. Campanilla estridente. Espera. Junto a la vereda circula un torrente de agua blanqueada por los productos químicos que arrastra. Cruza la esquina un carro cargado de materiales en desuso tirado por un caballo viejo. En el pescante se resigna un tipo oscuro.

¡Botella, fierro, diario, booootellero!

Lascano toca nuevamente el timbre. Pega la oreja a la puerta. Barullo de máquinas, voces. Insiste. La puerta se abre. Una mujer joven, baja y rechoncha, que aparenta diez años más de los que seguramente tiene, lo interroga con los ojos. Detrás de ella, humeando en un esqueleto de acero, penden cientos de madejas de lana recién teñida de rojo. Una niebla de vapor púrpura se alza desde el suelo mojado.

Buen día. Buen día. Ando buscando a un muchacho que trabajaba aquí. ¿Tiene nombre ese muchacho? Miguel Ángel.

La gordita sonríe.

Hace mucho que no está acá. ¿Sabe dónde puedo encontrarlo?

Sin soltar la puerta, la mujer se asoma y señala a su izquierda.

Vaya para allá hasta la cuarta, ahí dobla a la derecha, hace unos cuarenta metros y va a encontrar una casita verde con dos puertas. La de la izquierda da a un pasillo, él vive en el fondo. Le agradezco.

Resuelve caminar. No tarda en arrepentirse, el pavimento y las veredas desaparecen al cruzar la primera esquina. Las casas se achaparran y tiemblan en el lodazal. El sol deslumbra su miserable construcción. Por encima de los tejados de chapa, el improvisado cableado cuadricula un cielo en falsa escuadra rasgado por las antenas de los televisores. A la puerta de un almacén precario, recostado en un Tome Coca-Cola, un hombre con cara de pocos amigos lo observa chapotear en el barro. Desde el suelo se alza un penetrante aroma cloacal. Tres chicos descalzos persiguen un sapo a piedrazos, la bestia ya tiene una de las patas quebrada, su muerte está más cerca que la zanja. Algunas vecinas se juntan en los islotes secos a conversar y fumar rodeadas por perros flacos y aburridos, otras se acodan en las ventanas. De distintos lugares llega el sonido de tres cumbias diferentes a todo volumen. Y niños pequeños por todas partes, saltando en los charcos, jugando a la pelota, llorando, riendo, cayéndose, levantándose, gritando, corriendo. Ninguno parece mayor de nueve, los adultos no deben de pasar los treinta, pero aparentan cincuenta. Al fondo de las transversales brilla el césped de los links del campo de golf. El Perro se interna en el pasillo y llama a una puerta desvencijada. Abre un tipo desastrado que apesta a ginebra.

¿Miguel Ángel? Servidor. Mi nombre es Lascano. ¿Tiene un cigarrillo? Disculpe, no fumo. Necesito hablar con usted. Pase.

La única habitación es una cueva sucia y maloliente. Hay trapos y restos de comida tirados por el suelo, en el fregadero se apila la vajilla sin lavar, seguramente desde los tiempos de la colonia. Miguel Ángel se derrumba en un sillón destartalado.

Ando averiguando sobre Amalia.

Miguel Ángel se rasca la cabeza.

¿Amalia? Sí, y Candela.

Con ojos vidriosos, el tipo lo mira desde el más allá. Lascano arrima una silla, se sienta frente a él y saca dos billetes. Eso parece despertarlo. Los toma con mano imprecisa, los observa y se los guarda.

¿Qué quiere saber? Lo que pasó. ¿Quién lo manda? Sofía.

Miguel Ángel suelta una breve carcajada. Suena un pitido. Se pone de pie y va hasta el anafe.

Ah, la vieja millonaria. Quiere encontrar a la nieta.

El hombre toma un paquete de yerba, vierte un poco en el mate y revuelve con la bombilla. Desde alguna casa vecina llegan gritos de un hombre y una mujer discutiendo.

Ellas desaparecieron como si se las hubiera tragado la tierra. ¿Cómo fue eso? No sé. Yo estaba trabajando, una vecina me dijo que las vio salir. Nunca más supe de ellas. Después la encontraron muerta. ¿Y la nena?

Miguel Ángel se encoge de hombros. Echa agua en el mate, revuelve, agrega un poco más, sorbe, rellena el mate y se lo tiende al Perro.

¿Gusta? No, gracias.

Regresa al sillón bebiendo, se sienta y deja la pava en el suelo a su lado.

¿No averiguó nada? Recorrí los hospitales y fui a la policía. Ni noticia. Cuando apareció el cuerpo de Amalia volví a la cana. Yo estaba como loco, imagínese, armé un quilombo terrible. ¿Y? Me sacaron cagando. Al día siguiente apareció por acá la Chancha. ¿Quién es? Un comi. ¿Lobera? Sí, creo que se llama así. ¿Él estaba a cargo de la investigación? ¿Y yo qué sé?

Miguel Ángel deja el mate, abre la boca y le señala a Lascano los dientes que le faltan.

Esto se lo debo a él. Vino con otro, un grandote. Me dieron una biaba que para qué le voy a contar. Para que aprenda a no hacer despelote, me dijeron. ¿Y qué más? Otra vez me mandaron un patrullero y me llevaron a los tribunales a hablar con un fiscal. ¿Cómo se llamaba? Juf... algo así... ¿Y? Le conté lo mismo que le estoy contando a usted. No supe nada más.

Miguel Ángel se adormila. Lascano se pone de pie. Los gritos de la pareja aumentan de volumen en el pasillo.

Gracias.

El tipo entreabre los ojos y alza una mano cansada a modo de saludo. El Perro gira y sale. En el pasillo, el hombre que discutía toma a la mujer por el cuello y le estampa una bofetada. Lascano se envara, se acerca, lo toma por el brazo y, sin soltarlo, lo empuja contra la pared.

Oiga, ¿qué hace?

El hombre se queda mirándolo. La mujer se vuelve hacia el Perro.

¿Y vos qué te metés? La estoy defendiendo. ¿Y quién te pidió que me defendieras? Nadie. Entonces quedate mosca.

De vuelta en el auto, se mira en el retrovisor. Se ve gris, y débil.

19

Lindaura, ahora Jazmín, entra en el departamento seguida por Yancar. Magda la recibe en ropa interior. Yancar le entrega una hoja de papel. Magda inspecciona a la chica de arriba abajo.

Aquél es tu cuarto. Andá para allá.

Jazmín baja la mirada. Está cambiada, se siente más vieja, más cansada.

Sí, señora.

Magda la mira yéndose.

¡Ja!, me dijo señora. ¿De dónde la sacaste? Producto regional. Aguantame un segundo que la pongo en orden.

Entra en la habitación y cierra la puerta.

Escuchame, piba, acá las cosas son así: si te portás bien no vas a tener ningún problema; ahora, si me das trabajo, el hombre se va a ocupar de vos, ¿entendiste...? Sí, señora... No me digas señora, me llamo Magda. Me dijo el dotor Corona que en cuanto pague lo que debo me puedo ir. ¿Quién?...

Jazmín señala hacia la habitación donde espera Yancar.

El dotor Corona. Ah, sí. Bueno, no hay problema, en cuanto pagues lo que debés podrás irte. Ahora descansá, esta noche empezás. ¿Esta noche? Sí, ¿algún problema? No, ninguno, creí que iba a trabajar de día. No, piba, es de noche. ¿Qué tengo que hacer? Es en un bar, yo te voy a acompañar para decirte, ¿está bien? Lo que usted diga. Si lo necesitás, el baño está al lado, dejalo limpio, ¿oíste? Sí, señora Magda.

La habitación apesta. En las paredes se descascara el último intento que se hizo por pintarlas. Un colchón mugriento junto a una cama chueca constituyen todo el mobiliario. Jazmín va hasta la ventana. El vidrio está roto y el vano, tapiado con tablones. A través de sus rendijas mira el patio sombrío y húmedo, sembrado de papeles y restos de comida que los vecinos arrojan desde lo alto. Oye un click a través de la puerta, y la lámpara, decorada con miles de cagadas de mosca, se apaga. Camina en puntas de pie y espía por la cerradura. Sólo puede ver las cinturas de Magda y Corona.

Che, Yancar, ¿o debo llamarte doctor Corona? ¿Qué hay? ¿A qué hora llegan los pibes? Deben de estar al caer, traen un paquete nuevo. Mejor que no se retrasen, tengo que ir a laburar. Si llego tarde, el imbécil de Gumer me pone las orejas así. A Gumer dejalo de mi cuenta.

Corona se aleja para irse, ahora Jazmín puede verlo de cuerpo entero. Cuando alza la mano para tomar el picaporte, ve el revólver que carga. Se sobresalta y no puede evitar golpear la puerta con su zapato. Magda se vuelve hacia ella. Jazmín se despega y se acuesta en una de las camas. Expectante, siente el batir ansioso de su corazón. Una brisa helada se cuela entre los tablones. Se tapa. Las mantas despiden un hedor ácido y rancio. Silencio.

A la puerta, tres golpes rápidos, una pausa, y otro más. Terminando de vestirse, Magda abre.

Ya era hora.

Marcelo entra llevando del brazo a Dalma, ahora Iris. Detrás viene Corina escuchando música a través de los auriculares enchufados en sus orejas. Magda observa a Iris. Tiene los ojos entrecerrados y parece que va a desmayarse en cualquier momento.

¿Y a ésta de dónde la trajeron, de la guerra?

Marcelo da un salto para dejarse caer en un sillón.

Chica dura, no sabés el trabajo que nos dio ablandarla.

Magda hace un gesto de disgusto.

Si la ablandaban un poco más iban a tener que llevarla a la morgue.

Marcelo se encoge de hombros. Corina sigue ausente con su música, dando pequeños saltos y sacudiendo la cabeza al ritmo. Magda hace girar a Iris. Le toma una mano y observa las quemaduras, frescas aún, en sus brazos.

¿Esto era necesario?

Marcelo se levanta, algo amenazador.

Yo no me meto en tu laburo, vos no te metas en el mío. Vos sí te metés, así no puedo hacerla trabajar, ¿no te das cuenta? No jodas, mañana va a estar bien. Bien jodida va a estar, recuperarse le va a llevar una semana.

Magda le pone la mano en la frente un instante y la retira fastidiada.

Encima esta piba está volando de fiebre. Se las van a tener que arreglar con Yancar.

91

Corina se quita los auriculares y se coloca junto a Marcelo.

Decime, ¿no tenés nada mejor que hacer que rompernos las bolas? Mirá, pendeja, hasta las putas tenemos sentimientos, pero ustedes son unos animales..., peor que los animales.

Divertido, Marcelo se pone a ladrar. Corina pone ojos tiernos y maúlla.

Magda les echa una mirada cargada de rencor. Camino del dormitorio, pulsa el interruptor y abre con violencia. El sobresalto sienta a Jazmín en la cama. Muda, sigue con la vista a Iris hasta que se derrumba en el colchón. Magda se apoya en el picaporte, le ordena que la cuide y cierra de un portazo. Se vuelve hacia Iris. Tiene la mirada vacía y fija en el cielo raso. Con la garganta anudada, se acerca a ella. Gime. Tiembla. La cubre con la manta hedionda. La luz se apaga. Mantiene los ojos abiertos tratando de habituarse a la penumbra. Oye leves pasitos. Algo anda por allí. Una alimaña que se detiene, husmea, vuelve a caminar, se acerca, respira. Jazmín trata de quedarse quieta, pero le parece que está subiéndose a la cama. Se incorpora y oye al bicho correr a ocultarse en su madriguera. Toma la medalla milagrosa que pende de su cuello, la besa y le pide, le ruega y le implora el regreso.

20

En el asiento trasero, Irupé duerme despatarrada. Al volante, Gumer masca chicle con la vista fija en la carretera repleta de camiones. Detrás, las sierras de Tandil, oscurecidas por el atardecer, parecen un dinosaurio dormido. Yancar mira el reloj, en poco más de una hora estarán en Azul. Enciende la radio y un cigarrillo. Gumer abre su ventanilla y se acoda en el marco.

Todavía no entiendo para qué tenía que venir yo también. No hay nada que entender, la Momia dijo que me acompañases. ¡Ta madre!, como si no tuviera bastante laburo en el putero. No te quejes.

Yancar le da una chupada larga al cigarrillo y lo arroja afuera, cruza los brazos. Antes de que cierre los ojos pasa el cartel que anuncia el desvío a Gardey.

Despertate, ya llegamos.

Irupé se acomoda en el asiento y mira hacia fuera. El Mimos de Azul, expuesto a la última claridad, revela su ruina. Yancar le abre la puerta.

¿No había nada peor? Tranquila, es por unos días nada más. ¿Justo ahora que viene la temporada me traés a este tugurio?

Ya te dije, es por unos días. ¿Y yo te creo? Lo que vos creas me importa un carajo, bajá.

Gumer baja del auto y se despereza. Yancar lo mira serio.

Vos esperame acá.

Al verlos entrar, el Tarta deja el trapo sobre el mostrador, se acerca e inspecciona a Irupé. Yancar le palmea la espalda.

¿Contento? A-a-algo es a-algo. ¿C-c-cómo te llamás? Irupé. Te-te-nés pi-pinta de revoltosa. No jodas, Tarta, se porta bien. ¿Te-e tra-traigo a la otra? Ahora no, vuelvo a buscarla en un rato. Dame un whisky.

El Tarta le da la vuelta al mostrador, sirve, le pasa la copa a Yancar y le hace una seña a Irupé. La chica se aleja hacia la trastienda. Yancar pone un dedo en el vaso.

¿Hielo? To-to-da-da-vía n-no lle-llegó, te-tenés q-q-que to-to-má-má-rtelo a-así.

Yancar lo empina, bebe y deja la copa.

Ahora tengo un asunto que atender. Prepará a Tina, Violeta y Andrea. ¿P-p-p-pa-ra qué? Se vienen conmigo.

El Fino pega un respingo.

¡Q-q-q-qué! Lo que oíste. Me-me tra-traés u-una y te-te lle-llevás tres. Donde manda capitán... P-p-p-pero, ¿q-q-qué q-q-quiere la-la Mo-mo-mia, q-q-que me-me mu-muera de-de ha-hambre? Parece que la temporada en la costa viene fuerte, hay que reforzar. ¿Y yo-yo q-q-qué ha-hago c-c-con c-c-cuatro pi-pibas so-solamente? Te las arreglás. E-eso e-es fá-fácil decirlo. Podés negarte si querés. Le digo a la Momia que no quisiste que me las lleve. ¿Te-te cre-creés mu-mu-muy gra-gracioso?

94

Yancar termina su trago.

Vuelvo en un rato, tenelas listas.

Yancar entra en el auto, Gumer lo mira intrigado.

¿No íbamos a llevar unos paquetes? Llamó la Momia, cambio de planes, volvemos. Sigo sin entender para qué mierda me hizo venir. A veces es mejor no entender, arrancá.

A media hora de andar llegan al Arroyo de los Huesos. Yancar mira atentamente por la ventanilla.

Pará un poco. ¿Qué pasa? Quiero mear.

Gumer mira por el espejo, baja la velocidad y se arrima a la banquina. Yancar sale dejando la puerta abierta y le da la espalda. La ruta está desierta. Gumer se pone otro chicle en la boca y arroja el papel por la ventanilla. Yancar termina de sacudir, guarda y le habla sin volverse.

Gumer, vení, tenés que ver esto. ¿Qué cosa? Vení te digo.

De mal humor, baja y se acerca a Yancar, que se ha puesto en cuclillas, mirando hacia las piedras del arroyo, y señala.

¿Qué hay? Ahí abajo, mirá. No veo nada. Agachate.

Gumer se inclina, Yancar mira alrededor, se yergue y da un paso atrás. En su mano la pistola apunta a la cabeza de Gumer.

¿Qué hacés, loco? Sos boleta. Dejate de joder.

Yancar aprieta el gatillo, el fogonazo ilumina la última expresión de Gumer. El disparo le da de lleno en el parietal derecho, desparramándolo sobre los yuyos.

Como te parezca...

95

Guarda la pistola, empuja el cadáver para que ruede por el declive hasta la orilla. Se detiene boca abajo entre las piedras. Regresa al auto, cierra la puerta del acompañante, da la vuelta, se ubica al volante, pone primera, gira en U y regresa por donde vino.

21

Agárrenlo.

Menfis toma por un brazo a Moñito, Hueso por el otro. Apostado en la puerta, Quince hace una señal indicando que el campo está libre. Romero empuña la faca.

Te aviso que vas a sangrar como un chancho.

Moñito cierra los ojos.

Dale antes de que me cague.

Romero se pasa la lengua por los labios, se acerca y, con movimiento veloz, hace un tajo en el pecho de Moñito. El grito de dolor es sofocado por la mano libre de Hueso, que le tapa la boca. Lo sueltan, se tira al suelo cubriéndose la herida. La sangre mana entre sus dedos. Romero se vuelve y ordena:

Vamos.

Salen del baño velozmente y en silencio. Giran y se alejan a paso vivo hacia el pabellón. Quince tiene agarrado por el brazo a un muchacho asustado que cumple condena por vender marihuana. Lo toma por el cabello de la nunca y acerca su cara a la de él.

Ahora andá, corré y decile a Morales que hay un preso herido en el baño. ¿Entendiste?

El muchacho asiente varias veces con la cabeza. Quince lo suelta, lo empuja por el pasillo y va a reunirse con los otros.

Hace una hora que se apagaron las luces. Las tres sombras se mueven con sigilo en la penumbra para reunirse junto al catre de Romero. El resto de los presos duerme, o hace que duerme, nadie presta oídos al susurro de la conversación. Es mejor no saber.

Falta poco para que amanezca. Rotundo espera con la puerta entreabierta, mirando hacia fuera. El patio está iluminado por los reflectores instalados encima de las casetas. Dentro de ellas, los guardias se aburren. Las luces se apagan. Rotundo sale, corre hacia el muro. Cuando está a dos metros, la paloma vuela por encima de los alambres. Al golpear contra el suelo emite un sonido amortiguado por el envoltorio. Rotundo la recoge y trota de regreso a la puerta; cuando la está cerrando, las luces vuelven a brillar. Por el camino deshace el paquete y tira los trapos en un tacho. La enfermería también está a oscuras. En su cama, fajado con un vendaje, Moñito no duerme, pero tampoco hace movimiento alguno. En el pasillo, con los brazos cruzados, ronca López, el guardiacárcel. Dentro de la oficina, con luz de pecera, el doctor Artusi conversa con Paulina, la enfermera. Agazapado tras las hileras de camas, Rotundo se aproxima a Moñito.

Llegó el encargo.

Moñito produce un fajo de billetes que Rotundo toma y guarda. Levanta el colchón, embute el 32 y se va. Moñito lo saca, verifica que está cargado y lo devuelve al mismo lugar.

Poco antes de que amanezca, Artusi y Paulina se acercan a la cama de Moñito, uno a cada lado. La enfermera saca un termómetro del bolsillo de su uniforme y lo sacude con energía. Se inclina para colocárselo a Moñito bajo el brazo. López sigue dormido. Moñito mira hacia la puerta vidriada, en la que se trasluce el perfil de Romero. En una serie de movimientos coordinados, toma al médico por la corbata, le da un empujón a la enfermera, haciéndola tropezar con los pies de López y caer, y tira de la corbata forzando a Artusi hacia la cama. Se sienta, saca el revólver, apunta a López a la cabeza y grita:

¡No te movás! ¡Ahora, muchachos!

Romero, Hueso y Menfis entran a la carrera. Quince se queda en la puerta vigilando el pasillo. Romero se coloca a un paso de López y lo baja de un cabezazo. Moñito salta de la cama y le ordena a Artusi y Paulina que se sienten en el suelo, cuando lo hacen le pasa el revólver a Romero y se aposta en la ventana. Del resto de los presos internados, los que pueden se sientan en sus camas a observar la acción. Con los jirones de una sábana, Hueso ata a López, Menfis al médico y Romero a la enfermera. Un anciano se incorpora penosamente en la cama y levanta el brazo flaco y correoso, semejante a una raíz.

Loco, llevame. No puedo, viejo, estás muy arruinado.

Menfis se reúne con Moñito junto a la ventana, aferran los barrotes y los sacuden. Gracias al trabajo que Moñito estuvo haciendo toda la noche, la reja se suelta enseguida. Menfis la mete dentro de la habitación y la deposita con suavidad en el suelo. Quince abandona su puesto, traba la puerta con una cama y se une al resto. Vestidos con las batas de los médicos, los cinco salen por el vano al tejado, y se dirigen hacia el muro que da a Bermúdez. Una teja se quiebra. La pierna de Quince se cuela en el agujero. Menfis trata de jalarlo por un brazo, pero está atrapado. Oyen carreras que vienen desde el patio, silbatos, órdenes. Dejan a Quince atrás y corren hacia el escape.

Rechoncho, bajo, calzando sus anteojos tipo Lennon, Bolita

Rossi, al volante del Peugeot, aguarda inmóvil en la esquina de Bermúdez y Nogoyá, con la vista fija en el paredón.

Hueso tira la cuerda hecha con sábanas anudadas por encima de la pared y comienzan a escalarla uno a uno.

Bolita la ve volar, pone el motor en marcha y se acerca lentamente.

En la ventana por donde salieron asoman guardias armados. Romero les dispara parapetado en una mocheta. Cuando el último de sus compinches desaparece tras el muro, escala él también y pasa al otro lado. Descendiendo lo más velozmente que puede, ve a los demás metiéndose ya dentro del auto que los espera. Dos metros antes de llegar al suelo, se suelta. Corre y se zambulle en el asiento trasero. Antes de que termine de cerrar la puerta, Bolita pisa el acelerador y salen disparados por Melincué. Están de suerte, cruzan las seis bocacalles sin disminuir la velocidad y sin que nadie se les atraviese en el camino. Bolita clava los frenos en la plaza Da Vinci. Con la sangre martilleándoles las sienes, bajan y cruzan separados el parque para abordar tres autos distintos. El barrio se llena de sirenas.

22

Lobera va resoplando calle 15 abajo. El viaje hasta La Plata por la Ruta 2, atestada de turistas que se dirigen a la costa, lo dejó extenuado. Gira por 51, entra al garaje, a la sombra. Un alivio que dura poco. Al bajar del coche lo abrazan el bochorno del día y el calor que emana el motor después de seis horas de aire acondicionado al máximo. Con la boca reseca, recoge el ticket y sale a la calle. Es pleno mediodía, el sol cae sin piedad. Cruza hacia el hilo de sombra que proyecta la catedral sobre la vereda y camina rápido hacia la plaza Moreno. Maldice, está llegando una hora tarde. Apura el paso. A través de las suelas, el cemento ardiente le cocina los pies. A su derecha, una hilera de arbolitos desnutridos amarillea en los canteros. Decide atravesar por allí en busca de su escuálido refresco. Tiene la sensación de que el maletín pesa una tonelada. Adelante, la Gobernación adonde parece que no va a llegar nunca. Atraviesa la 12 con trote corto, trepa la escalinata y entra al edificio, está empapado de sudor. El aire refrigerado le da un respiro. Se mira en el espejo del ascensor. Su cara está roja y cubierta de gruesas gotas. Se pasa el pañuelo hasta dejarlo ensopado. Sale y recorre el pasillo a paso vivo hasta el puesto de la secretaria del secretario. Siente las manos adormecidas. Tras anunciarlo, la mujer le pide que espere. Se sienta frente a ella bajo una salida de aire acondicionado que le da de pleno, a fin de que la brisa helada le seque la transpiración. Suelta un resoplido profundo y cierra los ojos.

Señor Lobera, señor Lobera.

El comisario despierta, la secretaria está a pocos centímetros con su sonrisa impostada.

El secretario lo recibirá ahora.

Rodríguez habla por teléfono. Le hace una seña para que tome asiento y se queda mirándolo. Lobera señala la jarra de agua que está sobre el escritorio. Rodríguez asiente. Lobera se sirve en una copa, bebe y se sienta. Rodríguez termina de hablar, se despide y cuelga.

¿Cómo van las cosas?

Lobera sonríe, alza el maletín y le da dos palmadas.

Por acá, todo bien.

Serio, Rodríguez ni lo mira. Lobera lo deja en el suelo. El secretario enciende el reproductor de música, le da la vuelta al escritorio, apoya el culo en la tabla, toma el paquete de cigarrillos, le ofrece uno y enciende ambos con un Ronson de oro. Los altavoces emiten la introducción de un rock duro. La voz apagada y un poco nasal de Solari se apodera de la habitación.

¿Cómo viene la temporada? Estamos un poco escasos de personal y este verano la costa va a estar repleta. No te preocupes, en estos días te van a llegar varios paquetes. Perfecto. ¿Alguna otra cosa? Un temita. Hay un ex de la Federal que anda haciendo preguntas. ¿Quién es? El Perro Lascano. Ni idea, ¿qué pregunta? Por la piba aquélla, Amalia. Refrescame la memoria. La hija de la millonaria que apareció en la carretera. Ah, sí, ¿y qué quiere? La vieja busca a la nieta. ¿Eso te preocupa? ¿Qué le parece? ¿Moviste algo? Lo encaré, pero ese tipo no le da bola a nadie y no creo que se asuste.

Pensativo, Rodríguez se acaricia los bigotes.

*Okey, no hagas nada, yo me ocupo. ¿Alguna otra cosa? Está
el tema de Marraco, el juez. ¡Otra vez ese forro! Nos allanó
tres veces en dos meses. ¿Qué mierda le pasa? Tiene una obsesión con las menores. ¿Con qué personal hizo los allanamientos? Con Prefectura, tan forro no es. ¿Y? Por suerte tengo uno
adentro que me avisó. No pasó nada por ahora, pero está jodiendo. Dejalo de mi cuenta. Okey, nos vemos el mes que viene
entonces.*

Lobera se pone de pie. Rodríguez le da la mano con media
sonrisa oculta tras los bigotazos. Cuando se cierra la puerta,
toma el maletín que dejó Lobera, lo abre y con un golpe de vista
calcula cuánto suman los fajos que contiene. Va hasta el cofre
de seguridad y los guarda. Levanta el teléfono directo. Marca.

*Soy yo... Todo bien... Sí, ya me enteré de lo de los allana-
mientos... Nada, yo me ocupo... Tenemos una mosca rondando
por la Ciudad Feliz... Lascano... Un ex de la Federal... Ah, lo
conocés... Por ahora, no... Otra cosa, mandale a la Chancha
todos los paquetes que tengas, la temporada viene fuerte... Con
tres no hacemos nada... No sé, sacá las mejores de Comodoro
y mandalas para allá... Como siempre... No hay problema... De
acuerdo...*

Corta. Pulsa el intercomunicador.

*María. Sí, doctor. Llame a Marraco, dígale que quiero verlo
lo antes posible. Sí, doctor. Manténgame al tanto. Sí, doctor.*

Son las dos de la tarde. El cielo está blanco de calor. La
Chancha cruza la plaza de regreso al estacionamiento. Querría
caminar más rápido, pero no se siente con fuerzas. No entiende por qué Rodríguez lo hace venir personalmente todos los
meses, cuando podría enviarle lo suyo con otra persona. Ahora
deberá regresar a Mar del Plata por el lado más congestionado
de la ruta. Si demoró seis horas en la ida, la vuelta puede to-
marle por lo menos ocho. Ni una puta nube, el sol pica y arde.

Por la calle 44 el tránsito se embotella. Se asoma a la 191, por ahí también es un caos. Un crujido en el motor, el aire acondicionado se detiene, Lobera enfurece.

¡Puta madre, lo único que me faltaba!

Abre la ventanilla. Se asoma. La fila de coches está inmóvil, el otro carril, vacío. Saca la baliza portátil, la pega en el techo y enciende la sirena. Da marcha atrás para despegarse del coche que lo precede, gira el volante, pone primera, pisa el acelerador y se lanza por el carril contrario. El aire que la velocidad impulsa dentro de la cabina está caliente, pero es mejor que nada. Acelera. Uno a uno va dejando atrás los autos detenidos. Una puntada en el pecho, aguda. Mareo. Las manos se le duermen. Visión doble. Se desploma sobre el volante. Chirrían las gomas del auto al girar bruscamente hacia la banquina. Arremete de lado contra un poste de alumbrado. La carrocería se dobla en dos y el parabrisas sale despedido. La puerta del conductor se abre y Lobera vuela. El auto se clava de punta en la zanja y sale dando tumbos, levantando olas de agua podrida, hasta que termina patas arriba en un charco. Los turistas embotellados bajan de sus vehículos, corren hasta la vera del camino y se quedan observando perplejos los restos humeantes y destrozados. El cadáver de la Chancha queda volteado sobre una mata de cortaderas, rodeado de penachos blancos, inmóviles en la tarde sin viento.

23

Las calles están desiertas. Embocan por Pedro de Mendoza. Los saluda el hedor del Riachuelo, donde a los barcos muertos, fantasmales, semihundidos en las aguas negras, los quema lentamente la oxidación. Dejan atrás el Caminito, las casas de chapa ondulada y madera en las que se exageran los múltiples colores originales para halagar el gusto por lo pintoresco de los turistas. Avanzan por el barrio que se empobrece a medida que se alejan de la escenografía. Las mismas construcciones sin maquillaje, patinadas de gris verdoso, agrietadas, en falsa escuadra, reducidas, con sus tripas de fierro carcomido al aire. Aparecen los grandes galpones abandonados desde cuyos muros de ladrillo ennegrecido se insulta al gobierno y se denigra al rival futbolero con pintura blanca. Moñito detiene el coche. Hueso y Menfis bajan y cierran las puertas sin hacer ruido. Caminan calle abajo por las veredas opuestas. Por la calle transversal, Bolita acelera, apaga las luces, el motor, y deja que el auto se deslice en silencio; gira en la bocacalle, pisa el freno y se detiene arrimado a la vereda. Las dos filas de camiones estacionados sólo dejan un paso oscuro en medio de la calle. Moñito se baja. Hueso cruza por la esquina. Romero le señala a Bolita la silueta del tipo que monta guardia en un coche junto al portón desvencijado, agarra la escopeta 12 grande y controla que esté cargada. Por la esquina, con las manos en los bolsillos, simulando un andar borracho, Hueso se acerca de frente al auto del guardia. Menfis se aproxima desde atrás, medio oculto entre los camiones, con una pistola en cada mano. Hueso mira al guardia. Sonríe. Está dormido con la ventanilla abierta. Saca su pistola, se la apoya en la cabeza y la amartilla. El hombre abre los ojos de inmediato. Hueso susurra la orden:

Las manos encima del tablero.

El tipo lo mira de reojo y obedece. Menfis ya está pegado a la cola del auto con sus armas apuntándole. Romero trota en silencio hacia ellos. Hueso abre la puerta y vuelve a susurrar:

Quedate piola y bajá.

En cuanto lo hace, Menfis lo voltea con un culatazo en la nuca. Romero ya está allí. Relampaguea la navaja de Hueso y el guardia pierde toda su sangre por el tajo que le corta en la garganta. Le quita la pistola y se la calza en la cintura. Menfis se acerca al portón, mete una barreta entre las hojas y, sin ruido, con precisión de cirujano, descorre la planchuela que las traba. Romero abre sigilosamente, entra, se ubica a un costado. Hueso se coloca en el otro y Menfis en el medio. Avanzan por el patio de maniobras hacia la oficina, desde donde llegan las voces de dos hombres conversando. Romero se detiene junto a la puerta, Menfis se aproxima agachado por el frente y esperan a Hueso, que se acerca por la parte más oscura, pegado a la pared, tanteando el suelo mientras camina. A su derecha se abre un pasillo. Repentinamente, un gruñido, una sombra, un rayo negro cae sobre él. El rottweiler le hinca sus colmillos en el muslo. Hueso suelta un grito y se derrumba, el animal se abalanza. Los dos hombres de la oficina se levantan y salen. Menfis tumba al primero de un tiro en la frente, Romero le vuela la cabeza al segundo con su escopeta. Menfis corre hacia Hueso, no se mueve, el animal se ensaña con su cuello. Se vuelve gruñendo entre sus enormes colmillos, flexiona las patas traseras para saltar sobre él. Sin vacilar, Menfis le dispara en medio del hocico, la bestia da un brinco y cae muerta sobre las piernas de Hueso. Romero llega y se quedan observando los últimos estertores de su compinche.

¿No sabías que había un perro? Lo deben de haber traído ahora, porque antes no estaba. Puta madre, lo hizo mierda al Hueso. Hay que moverse, hicimos demasiado quilombo.

Corren hacia la oficina, saltan por encima de los cuerpos y entran. Sobre la mesa hay veinte ladrillos de cocaína. Menfis despliega dos bolsas de lona y comienzan a cargarlas con el botín. Romero mira los cuerpos de los caídos.

Llevemos los fierros, me parece que los vamos a necesitar.

Recogen las dos Micro Uzi, revisan las ropas de los cadáveres, donde encuentran cuatro cargadores completos. Guardan todo en la bolsa y salen a toda prisa. Al pasar junto al cadáver de Hueso se detienen.

¿Qué hacemos? ¿Qué vamos a hacer, llevarlo?

Corren hasta el portón. En el momento en que lo abren, Bolita arranca, se acerca velozmente y clava los frenos. Romero se mete adelante con su bolsa, Menfis tira la suya en el asiento trasero y se zambulle. Corren marcha atrás para que Moñito suba.

¿Y Hueso?

Romero mira a Bolita.

Arrancá, sin correr. Cambiamos de planes, agarrá para la 2.

Andan a velocidad reglamentaria hacia la avenida 9 de Julio. En silencio, pensativos.

24

Para armarse de coraje, Eva se toma un minuto ante la puerta de la casa de su madre, de su infancia. Todo está como entonces, pero descascarado y húmedo, salvo la piedra Mar del Plata donde estaban tallados su nombre y el de su hermana que ha desaparecido. Se resuelve y llama. La puerta se abre y aparece Hilda, la enfermera, y su sonrisa. Eva insinúa la suya.

Hola, soy Eva. Adelante, su mamá la espera. ¿Cómo está?

Hilda contesta con un gesto ambiguo. Eva deja la cartera en un sillón, se quita el chaleco, lo arroja encima y se encamina a la habitación. Muy concentrada, Beba sorbe café con leche con mano imprecisa. Eva se detiene en los cabellos grises y opacos, en las manchas oscuras que pueblan su cara buena, en las manos retorcidas por la artritis, en el temblor que recorre el cuerpo de su madre. Beba deja el tazón con grandes precauciones, pero no puede evitar que se derrame un poco de líquido en el plato. Al ambiente lo embalsama el aroma de la vejez. Hilda se coloca junto a Eva.

Mire quién llegó.

La anciana alza la cabeza, tiene un momento de estupor y se ilumina.

¡Hijita, viniste! Hola, mami. ¡Qué alegría!, ¡qué alegría!

¿Cómo estás, mami? Agonizando. Tan mal no te veo, no perdés el humor. Vos me ponés de buen humor. En serio, ¿cómo te sentís? Ahora que estás vos, no puedo sentirme mejor. De verdad. Harta de los médicos, de los remedios y de los tratamientos. No sé para qué tanto esfuerzo si soy un caso perdido. Para que te sientas mejor.

Con movimientos de pájaro, Beba trata de ver detrás de su hija, las pupilas bordeadas por una aureola blanca.

¿No la trajiste a Victoria?

Eva le sonríe y niega con la cabeza. Una sombra encanta el rostro de Beba.

Está un poco resfriada y me dio miedo que pudiera contagiarte.

Beba sonríe con simpático escepticismo.

¿O querías comprobar primero mi estado? Ay, mamá, sos terrible. Disculpame, es que siempre soñé con cuidar a mi nieta cuando tuvieras algo que hacer. Tenerla para mí sola. Pero, como ves, eso ya no será posible. ¿Por qué decís eso?

Beba se encoge de hombros.

¿Cómo podría cuidar niños, si con la vejez una se convierte en una chiquilla?

Eva sonríe, siempre le causó gracia esa palabra tan castiza que utiliza su madre.

Ay, mamá, decís cada cosa... Esta etapa es como un telón que va cerrándose lentamente. Me voy apagando. Todos los días pierdo algo. Cada vez peso menos, veo menos, siento menos... Estoy desapareciendo. Al final lo único que te queda son los afectos.

Eva toma las manos frágiles de su madre. Las recuerda frescas pasándole el cepillo por el cabello antes de salir para ir a la escuela. Sonríe para combatir el llanto que se revuelve por escapar.

¿Qué te parece si hoy cocino para vos? ¿Qué vas a hacer? ¿Qué tal un risotto? Maravilloso, nadie lo prepara como vos. Risotto entonces para la reina. ¿Sabés?, los viejos vamos de comida en comida. Ya no trabajamos, no arreglamos la casa, no tenemos nada de que ocuparnos, dependemos de los demás para todo. Comer es la última actividad vital que nos queda. El problema es con qué llenar el tiempo entre una y otra comida. Al fin la vida no es más que un intervalo, un chispazo entre dos eternidades.

A la mesa, frente a los platos que despiden un aroma delicioso, Beba come con deleite. Eva todavía no ha tocado el alimento. Beba le dedica aquella sonrisa que ya tenía casi olvidada.

Hijita, esto está delicioso. Gracias mami, me alegra que te guste. Contame, contame de vos. Quiero saber cuáles son tus planes, ¿cómo es tu futuro?

Eva baja la cabeza un instante y vuelve a levantarla.

Mamá, vos sabías que Lascano estaba vivo.

Beba se pone muy seria.

Sí, lo sabía. ¿Por qué nunca me lo dijiste sabiendo lo que yo sentía por él? Hija, la única razón válida que una madre puede tener para mentirle a sus hijos es su propia protección. Pero tampoco estoy muy segura de eso. No sé, pensé que era mejor para vos que te olvidases de él, que te alejaras de cualquiera que pudiera ponerte en peligro. Soy egoísta, ya había perdido a una hija y no podía soportar perder a la otra.

110

Beba deja el tenedor en el plato y suspira.

Perdoname, pero de pronto me siento muy cansada. ¿Querés acostarte? Sí.

Eva se pone de pie y ayuda a su madre a incorporarse. Se coloca detrás de ella y la sostiene por los codos mientras atraviesan el pasillo. Al llegar junto a la cama, la sienta. Se inclina, le quita las pantuflas, le levanta las piernas para acostarla y se acomoda a su lado. Beba la mira con dulzura.

A la mañana siguiente Beba ya no quiere levantarse. Come una nada de la pechuga de pollo triturada, y no hay fuerza en el mundo que la haga beber más que un sorbo de agua. Pasa la mayor parte del día durmiendo. Eva camina por la casa, ojea el barrio por la ventana, repasa las imágenes del viejo álbum, que le traen a la memoria unos versos olvidados: «Y ordenar los amores que luego serán fotografías». No puede recordar quién es el autor. Al caer la noche, Beba despierta dolorida. Eva le toma la mano.

Llamé a Gómez.

Beba contesta con una sonrisa algo acongojada.

¿Para qué? Quiero que te dé algo para que te sientas bien.

Beba cierra los ojos y habla en un susurro pero con determinación.

Yo lo único que quiero es morirme. Estoy muy cansada.

Cuando llega el médico, Beba duerme nuevamente. Se inclina sobre la anciana, le toma el pulso, le levanta los párpados para inspeccionar sus ojos. Se yergue dándole la espalda y enfrenta a Eva.

Lo siento, pero a su mamá no le queda mucho tiempo.

Eva se lleva la mano a la boca, su voz se escurre entre sus dedos.

Me dijo que ya quería morirse.

Gómez hace un gesto de comprensión.

¿Quiere que la llevemos al hospital?

Eva mira a su madre. No está segura de lo que ve. Beba abre los ojos y Eva cree leer en ellos una firme negativa.

No, quiero que se quede acá. Quítele el dolor. Que esté lo mejor posible el tiempo que le quede.

El médico la mira con franqueza.

Eso puedo hacerlo, pero va a acelerar los tiempos.

Eva mira nuevamente a su madre. Esta vez no cree ver nada más que a una viejecita dormida, pero en su mente se conforma la certeza de que eso es lo que debe hacer. Echa la cabeza hacia atrás. Toma aire y traga saliva para poder responder con seguridad.

Hágalo.

Una hora más tarde llega el enfermero. Con pericia profesional inserta una aguja hipodérmica en el brazo de Beba, vacía una cápsula en la botella de suero y controla el goteo. Beba lo está mirando, él le sonríe. Beba le hace un gesto con su mano para que se aproxime.

¿Cómo te llamás? Alberto, señora. Qué linda cara tenés, deberías llamarte Ángel, tenés cara de ángel.

El muchacho se sonroja, da las gracias y sale. Las dos mujeres se quedan en silencio, mirándose, hasta que se oye la puerta de calle al cerrarse. Beba mueve levemente su mano en dirección a la de Eva, la toma, la aprieta con suavidad y cierra los ojos.

Sos una buena hija.

Eva mira conmovida la mano de su madre, la piel translúcida, los huesitos finos, los dedos torcidos.

Y yo quiero agradecerte todo lo que hiciste por mí.

Beba se duerme. Eva se queda a su lado contemplándola. Su madre respira corto. Su pecho se mueve apenas. La noche avanza. La luna entra por la ventana y moja el perfil manchado de Beba con luz sobrenatural. Afuera cesa todo ruido, todo movimiento. Las manos de Beba cada vez más frías. La respiración, cada vez más breve. A lo lejos, una campana da las cuatro. A Beba le da un hipo. Uno solo. Su pecho se detiene.

Por la mañana, una vez que los empleados de la funeraria se retiran, Eva lee la última anotación que con letra minúscula hizo su madre en la pequeña libreta que ella le mandó de regalo. Parece una cita.

Somos todo el pasado, somos nuestros amigos, somos la gente que hemos visto morir, somos los libros que nos han mejorado, somos, justamente, los otros.

25

El fiscal se jubiló y se fue a vivir a la Patagonia. El expediente del homicidio de Amalia desapareció del archivo de Tribunales. Miguel Ángel no le dio ningún dato que condujera a parte alguna. La única que sabe es Pocha, la regente del Little Love, pero no se le ocurre cómo hacerla hablar. Todas las pistas que siguió se desvanecieron enseguida. Considera dar por concluida la investigación y comunicárselo a Sofía, pero algo le pica. A Lascano le inquieta la sola idea de darse por vencido. Decide hacer lo de siempre cuando está atorado: caminar. Baja directamente hasta el Torreón del Monje, frente al mar. Abajo, la playa Bristol está siendo abandonada por los bañistas y comienzan a plegarse las sombrillas de colores desteñidos por el sol: rayadas, a pintas, con flores. Por la Rambla circulan las familias, lideradas por el marido argentino. En shorts y sandalias, abre la marcha de regreso al departamento mínimo que alquiló por la quincena. Carga estoicamente el balde con la palita y el rastrillo de sus caprichosos borreguitos. Le es indiferente el malhumor de su señora, que mira con rencor a las más jóvenes, campantes en sus apretados bikinis nuevos, los mismos que le gustaría lucir si no fuera por las estrías que le labraron los sucesivos embarazos. El Perro se sienta en uno de los cafés de la Rambla, a la sombra. En el océano, un carguero se aleja hacia el horizonte, corre una brisa tenue. Pide un café. A dos mesas de distancia termina sus sándwiches tostados un matrimonio con un hijo adolescente de bigote incipiente. La madre le arregla el mechoncito que le cayó sobre la frente, pone la boca en piquito cuando le habla, lo mira. Sus ojos se cargan de helado desprecio cuando ocasionalmente los dirige al marido. Sumergido en el periódico, el escudo de papel lo protege de la escena de amor que lo excluye. El camarero le sirve, Lascano paga y le indica que puede quedarse con el vuelto. Mamá y el hijo se ponen de pie y comienzan a alejarse abrazados. Con gesto resignado, papá pliega el ejemplar de *La Capital*, lo abandona sobre la silla de mimbre, se coloca los anteojos de sol y los sigue. Tranquilo, sin ninguna intención de alcanzarlos, moviendo apenas la cabeza toda vez que se cruza con las inaccesibles chicas semidesnudas que tontean por la vereda. Lascano se hace con el periódico abandonado. En la primera plana hay una foto de Lobera, más joven y no tan gordo como cuando lo encaró en el comedor del hotel. Recorta la nota, la mete en su bolsillo y se bebe el café. Se levanta y camina a paso vivo en busca de su automóvil. En el cielo se anuncia la noche.

A la puerta de la casa de sepelios, en grupos, recostados contra las paredes, fumando, conversando y conteniendo por respeto las risas, se reúnen policías de la Bonaerense de civil y de uniforme. Lascano baja del coche, lo cierra y atraviesa el largo pasillo que desemboca en la sala mortuoria. El ataúd está ubicado perpendicular a la pared, rodeado por cirios y custodiado por la viuda, a la que se reconoce porque rompe a llorar teatralmente cada vez que alguien se acerca a saludarla o llega un mensajero con una corona de flores. El Perro mira alrededor. Nada hay más pesado que un velorio burocrático, sin pena. La escasa concurrencia se aburre recostada contra las paredes, nadie de interés. Junto a la viuda monta guardia el mejor amigo del difunto, enarbolando la correspondiente cara de circunstancias. Mira a Lascano fijamente. Se despega de la viuda, camina una docena de pasos para hablarle a uno con pinta de abogado que lo escucha observando al Perro con seriedad. Lascano considera que es momento de retirarse. Sale, serpentea entre la tertulia de la vereda, cruza la calle y se mete en el auto. Desde allí se dedica a observar a quienes acuden a presentar sus condolencias. Quince minutos más tarde no ha aparecido nadie significativo. Enciende el motor y las luces. En el momento en que va a meter la primera, una silueta familiar gira por la esquina. Es Pocha, la regente del Little Love. Los hombres que están a la puerta se inquietan. Uno de ellos se aparta del grupo y la intercepta. La toma por el brazo, la aleja de la entrada y le habla con derroche de ademanes. Pocha se toma la frente y trata de entrar en la sala, pero el tipo se lo impide. Continúa hablándole mientras la lleva por el brazo hasta la esquina. Finalmente parece convencerla, porque Pocha decide retirarse. Lascano avanza unos metros para verla alejándose calle abajo. Junto a la vereda hay un auto estacionado con dos personas adentro. Cuando Pocha está a pocos pasos, uno de los hombres abre la puerta y baja. Lascano lo reconoce: el Loco Romero. Conversan brevemente, se suben y arrancan. El Perro aguarda unos instantes antes de seguirlos.

Bolita Rossi conduce con la vista fija en el camino. Romero se sienta de costado y contempla el gesto ensimismado de la mujer.

Te dije, Pocha, que no tenías que venir. Treinta años estuve con él. ¿Y qué? ¿Acaso pensás que la mujer te lo iba a permitir? Y a mí, ¿qué me importa? A vos no te importará pero a los amigos de la Chancha parece que sí.

Pocha hace un gesto destemplado y desvía la vista.

¿Hasta cuándo piensan quedarse? Pensé que te alegraría verme. No sabés, una fiesta. ¿Me podés aguantar un tiempo? Ahora que se murió Roberto estoy jodida. Pero tenés el boliche. No es mío. ¿De quién es? Rodríguez es el dueño de todos los puteros de Mar del Plata. ¿Y? Seguro que se lo va a dar a la Momia. Ahora voy a tener que trabajar para él. ¿Cuál es el problema? Con ese tipo, a la primera cagadita que te mandás, sos boleta. Vas a tener que cuidarte. Me quiero salir, con esa gente no quiero saber nada.

Romero le pasa la mano por la cabeza.

No te preocupes, acá está tu hermanito para arreglarlo todo. No veo cómo me vas a ayudar, si a vos te deben de estar buscando hasta los bomberos. Tengo veinte kilos de merca pura, cuando la corte se va a hacer el doble. ¿Y qué hacemos con la Momia? De eso me encargo yo. ¿Tenés clientes para la farlopa? Nunca faltan.

Cuando el auto al que sigue gira en dirección al Little Love, Lascano apaga las luces y continúa tras él en la oscuridad. En lugar de detenerse a la puerta del local, sigue hasta la esquina y la dobla. El Perro aminora la marcha, el coche de Romero sigue hasta la siguiente calle y se detiene. Lascano baja del auto y camina a paso veloz pegado a la pared. Llega a la intersección justo a tiempo de verlos entrar en una casa. Se aproxima con sigilo. Está pintada de amarillo. En la terraza hay un depósito de agua de cemento en forma de cisne. En la entrada hay una piedra tallada: «El Destino». La puerta se abre, Lascano se oculta detrás de un camión desvencijado. Sale Pocha, cruza la calle y entra por la puerta trasera del Little Love. Pensativo, el Perro regresa a su auto.

26

A Juja la despierta la primera tos. Se levanta de la cama y acude a la habitación de Chito. Maldice, la ventana se abrió durante la noche. El niño está empapado en sudor, inspira con dificultad y emite un silbido al espirar. Regresa a su pieza, toma el inhalador de la mesa de noche y vuelve donde el chico. Lo ayuda a sentarse en la cama y sacude el envase con energía.

Ya está, mi vida, acá está mamá. Abrí la boca, corazón.

Chito, sin despertar del todo, obedece.

Cuando yo te diga, ¿eh?

Juja lo toma por la nuca y coloca la cánula dentro de la boca de su hijo.

Ahora.

El niño inhala cuando Juja presiona la tapa del medicamento.

Otra vez, mi ángel.

El niño vuelve a inspirar y la madre vuelve a presionar, pero esta vez no sale nada del envase.

¡Puta madre!

Molinari aparece en la puerta.

¿Qué pasa? La puta asma, y se me acabó el remedio. ¿Querés que vaya a buscar? Sí, andá corriendo, ¿tenés plata? No. Fijate en mi cartera. Juja abraza al niño. Poroto regresa con un billete en la mano y se lo muestra. *¿Alcanza con esto? No. Hacé una cosa, pasá por el Besitos, despertalo al Cholo y decile que me preste hasta la noche.¿Cuánto? Cincuenta.*

Molinari se viste rápidamente, sale y trota las dos cuadras hasta el cabaret. Golpea con energía la puerta de servicio. Al cabo de unos instantes aparece Cholo semidormido.

Eh, ¿qué pasa? Me manda Juja, necesita que le prestes cincuenta. ¿No podía esperar? Es para el remedio, el pibe tiene un ataque. Pasá.

Cholo camina por el largo pasillo arrastrando las pantuflas y bostezando. Poroto lo sigue. Parte del vano que comunica con el local en penumbra está ocupado por una pila de cajones de cerveza. Entran en la habitación. Cholo recoge su pantalón de la silla, mete la mano en el bolsillo, saca los billetes y le da uno a Molinari.

Gracias, viejo, y disculpá.

Cholo se mete en la cama, se arropa y cierra los ojos.

Cerrá la puerta y controlá que la de calle quede trabada.

Molinari camina por el pasillo hacia la salida. En el cabaret se enciende una luz y oye voces. Se detiene. Espía oculto tras los cajones de cerveza. Rocha, el bulldog, husmea por el local unos instantes y se queda junto a la puerta. Yancar y la Momia se sientan a una de las mesitas.

Qué milagro, usted por aquí.

119

La Momia hace una pausa, sopesando las palabras de Yancar. Levanta la vista hacia Rocha.

Esperame en el auto.

Aguarda hasta que sale y se cierra la puerta.

Hay cambios importantes. Usted dirá. ¿Sabés que reventó la Chancha? Estoy enterado. Bueno, estuve hablando con Rodríguez, quiere que nosotros nos hagamos cargo del Little Love. ¿Y con Pocha, qué hacemos? Tenés que encargarte de ella. No te va a costar mucho ahora que está sola. No hay problema. Bien, otra cosa. Diga. Rodríguez me puso una condición. ¿Cuál es? Hay un tipo, un ex de la Federal que anda haciendo preguntas incómodas. Hay que limpiarlo. ¿Quién es? Se llama Lascano. ¿El Perro? Sí, ¿lo conocés?

Yancar sonríe.

Si lo conoceré, es el que me encanó, va a ser un placer. No quiero que lo hagas vos. Alguien se va a ocupar de él. Una pena, me habría gustado atenderlo personalmente. Vos hacé lo que yo te digo, quedate mosca. Te necesito para que controles todo Mar del Plata. Lo que usted diga. ¿Por acá cómo van las cosas? Todo bien. El único problema es Juja. ¿Qué pasa? No está trabajando bien. Anda con uno de por acá, está siempre de malhumor y me parece que quiere largarse. Además tiene un pibe enfermo y falta a cada rato. Apretala, cambiala por alguna de las pibas de Azul. Le tengo miedo, es muy bocona y sabe muchas cosas. El idiota de Gumer le hacía llevar las cuentas.

La Momia se queda pensando.

Okey, me voy a ocupar de ella. Habría que hacer algo con el novio también, no sea cosa de que sepa algo. Está bien, ¿qué te pareció el paquete nuevo? Bien, pero dígale a los Cazadores que aflojen la mano y se dejen de joder con los cigarrillos. Vino muy marcada. No va a poder laburar en tres o cuatro días. Me dijeron que era muy rebelde, así que no le quites los ojos de encima. Como mande.

Los hombres continúan conversando. Molinari está paralizado junto a los cajones, la mirada en el suelo, la cabeza desbocada. El sonido de la puerta al cerrarse lo saca de su abstracción. Yancar, solo y pensativo, enciende un cigarrillo.

La Momia se ubica en el asiento trasero, Rocha cierra la puerta, toma su lugar al volante y lo mira por el espejo.

¿Adónde, jefe? Llevame al aeropuerto. ¿Se va? Sí, vos te quedás acá, tengo trabajo para vos. Arrancá, en el camino te explico.

27

Rodríguez levanta el intercomunicador, escucha.

Hacé pasar a Marraco, Pedro que espere un momento.

Se pone de pie, coloca un CD en el equipo de música y presiona *play*. Golpes a la puerta.

Pase.

La secretaria abre e invita a Marraco a pasar. Rodríguez le señala el sillón frente a su escritorio.

Tenemos un problemita.

Marraco se ajusta el nudo de la corbata y carraspea.

Usted dirá. Supe que ordenaste unos allanamientos en Mar del Plata. ¿Cuándo? Hace poco, unos locales de copas. Ah, sí. ¿Por qué? Tengo el dato de que allí tienen trabajando a varias menores de edad. ¿Y cómo anduvo eso? No pasó nada, alguien les avisó. Entiendo. Bueno, quiero que los dejes tranquilos. ¿Cómo? Lo que oíste. Pero... Sin peros. No te metás más con ellos. Allí hay menores, pibas secuestradas... ¿Tenés pruebas? No, las estoy buscando. Entonces no tenés más que rumores. No, tengo informantes. No tenés nada. Quiero saber los nombres de los buchones. Ahora no los tengo. Me los mandás hoy sin falta, ¿de acuerdo? Lo que usted diga, pero yo quiero seguir detrás de estos tipos. No podés. ¿Por qué? Porque no podés.

Marraco no puede ocultar el disgusto.

¿Y si me niego?

Rodríguez sonríe, abre un cajón, saca una carpeta y la tira sobre el escritorio frente al juez

Éste es el caso Galván. ¿Te acordás? Perfectamente. Claro, si vos hiciste la instrucción. Esto no tiene nada que ver. Yo creo que sí. No entiendo. Ahora me vas a entender. El caso pasó a sentencia en el juzgado de Giménez. ¿Lo conocés a Giménez? Claro que lo conozco. Bueno, la obsesión que vos tenés con las menores, él la tiene con la droga. ¿Y? Giménez es muy hábil, lo quebró a Galván, lo convirtió en un arrepentido y el tipo volcó todo.

Rodríguez toma la carpeta, la abre, pasa las páginas hasta que encuentra la que busca y se la exhibe a Marraco.

Leé. Ocho condenas, confirmadas por la Cámara y por la Corte. Sigo sin entender. Ya va, no te impacientes. Con las sentencias firmes hizo lo que manda el procedimiento. Ordenó quemar la droga. ¿Y? Oh, sorpresa, de los veintiún kilos consignados en el acta sólo había cuatro de cocaína, el resto había sido reemplazado por ácido bórico. ¿Sabés dónde se hizo el cambiazo? En tu juzgado. ¿Te sorprende? Yo no sé nada de eso. ¿Seguro? Segurísimo. Qué extraño, sólo dos personas tienen llave de la caja fuerte. Vos y López, tu secretario. También hay una llave en la Cámara. Pero esa llave no se movió de allí. O sea que fue uno de ustedes dos. ¿Me está acusando? No, sólo te estoy contando los hechos. ¿Cuánto hace que López está enfermo? No sé. Yo sí, tres meses, y parece que de ésta no sale. Eso te deja solo a vos con diecisiete kilos de cocaína.

Marraco cruza uno de sus brazos sobre el pecho y con la otra mano se cubre la boca. Rodríguez le sonríe.

Mirá, la cuestión es simple, si te dejás de joder con los locales de Mar del Plata, este expediente seguirá durmiendo en el cajón. Si continuás, vas a estar tan ocupado tratando de resolver tu situación que no vas a tener tiempo para otra cosa, con la posibilidad de que termines exonerado y en cana. ¿Está claro?

Ofuscado, Marraco se levanta y le tiende la mano a Rodríguez.

Otro tema. Diga. ¿Conocés a un tal Lascano? ¿El Perro? Ése. Lo conozco, sí, es un comisario de la Federal. Ya no, está retirado y trabajando por su cuenta. ¿Qué hay con él? Anda por Mar del Plata haciendo preguntas molestas. ¿Y entonces? Lo vamos a sacar del juego. Quiero que te ocupes del caso. ¿Qué hago? Dejalo morir. ¿Es todo? No, quiero que conozcas a alguien.

Rodríguez toma el teléfono y pulsa dos números.

Decile a Pedro que pase.

Impecable en su uniforme, el hombre se quita la gorra de plato de comisario mayor y saluda a Rodríguez.

Pedro, quiero que conozcas al juez Marraco.

Los hombres se estrechan la mano e intercambian formalidades de cortesía. Rodríguez los toma a ambos por los hombros.

Pedro es el nuevo jefe, quiero que trabajen juntos. El objetivo es que Mar del Plata sea de verdad la ciudad feliz. Ustedes dos me lo tienen que garantizar. ¿Puedo contar con su colaboración? De acuerdo. No hay problema.

Rodríguez sonríe, los palmea, y le da la mano a Marraco.

Su señoría, eso es todo por ahora. Pedro se va a poner en contacto con usted apenas asuma su cargo.

Marraco saluda a los dos y se va. Rodríguez espera en silencio a que cierre la puerta. Invita a Pedro a sentarse.

¿Contento? Una sorpresa, pensé que iba a nombrar a Laborda. No, Pedrito, en los tiempos que corren es mejor una mano inteligente que una mano dura. Éste es tu momento. Me alegra. ¿Cuándo quiere que me haga cargo? Inmediatamente. Necesito unos días. No te los puedo dar, con la muerte de la Chancha hay que ir a controlar la ciudad antes de que se nos vaya de las manos. Bueno, lo que usted diga. ¿Conocés al Perro Lascano? De oídas. Anda por Mar del Plata buscando a una piba que desapareció hace un tiempo. ¿Qué quiere que haga? Alguien de afuera se va a ocupar de él. Vos dejale el campo libre y que el trámite sea limpio. Ya lo instruí a Marraco. No me gusta, pero esto no hay más remedio que hacerlo así. De ahí en más tu gestión debe ser tranquila, sin ruido y sin fiambres. Los muertos no le hacen bien ni a los negocios ni a la política. Me parece bien. Entendido. Pedile a mi secretaria lo que necesites. Mañana tenés que estar allá para hacerte cargo.

Rodríguez le da un papel.

Ésta es la gente que trabaja con nosotros. Memorizá la lista.

Pedro lee y relee unos instantes moviendo apenas los labios, y le devuelve la hoja a Rodríguez.

¿Lo tenés? Lo tengo. Bien.

Rodríguez toma el papel y lo pasa por la destructora de documentos.

La Chancha me rendía cuentas el primer martes de cada mes, puntualmente, acá, a las once, en persona. Quiero que eso siga así. Comprendido. Cualquier problema que no sepas ma-

nejar, cualquier cosa que venga de la Federal, de la Nación o de la prensa, tenés línea abierta conmigo. Me lo comunicás de inmediato. ¿Entendido? Entendido. ¿Estás contento? Sí, señor. No es para menos, en tres años te jubilás con una medalla y más parado que Onassis.

28

El Pardo Rocha se arrima al mostrador de la recepción. El conserje toma su documento, rellena con sus datos el formulario del libro de registro, lo hace girar para que firme y le da la espalda para tomar la llave. Rápidamente, Rocha detecta el nombre de Lascano y memoriza el número de su habitación, 435. El conserje le entrega la llave. El Pardo observa que en el casillero no está la de Lascano. En el comedor, de espaldas, un hombre desayuna junto a la ventana. Rocha retrocede dos pasos para verle la cara reflejada en un espejo adherido a una columna. Es él. Gira y, sin decir palabra, se encamina a la habitación que le asignó el conserje.

Finalizado el café, Lascano revisa las notas de su investigación tratando de encontrarle la punta de la madeja con sensación de fracaso. Todas las pistas terminan en un callejón sin salida. Podría fácilmente deducir la red de tratantes que operan en la zona, pero del pasado y del destino de la hija de Amalia no tiene nada. Se siente cansado. Cierra la libreta, apoya el mentón en su mano y piensa que lo mejor que podría hacer es averiguar si en la ciudad hay algún juez o fiscal dispuesto a encarcelar a los criminales, denunciarlos y volver con las manos vacías a Buenos Aires. Alguien golpea la ventana. Lascano se vuelve. Poroto Molinari le hace señas para que salga. El Perro se pone de pie, toma la libreta y su llave, y se encamina a la salida. Asomando apenas, Poroto lo llama desde el umbral de una casa abandonada.

¿Qué hay, Poroto? Tengo problemas, Lascano. ¿Qué te pasa? Me la quieren dar. ¿Quién? La Momia. ¿Quién es la Momia? El dueño del Besitos. Ahora que se murió la Chancha, se va a hacer cargo del Little Love. ¿Tiene nombre esa Momia? Debe de tener, pero yo no lo sé. Un tipo misterioso... ¿Cómo te enteraste de que te la quiere dar? Lo escuché hablando con el Pescado. ¿Con quién? Con el Pescado, el nuevo regente del Besitos. ¿Yancar? Sí. ¿Estás seguro? Claro que estoy seguro. ¿El Pescado Yancar? Le digo que sí. Si está en cana. Se equivoca, Lascano, está libre. ¿Qué tiene en tu contra? Ando con una de las chicas y la quiero sacar del negocio. Te enamoraste. La piba es buena, Lascano, no se merece esta vida. Mirá vos, de chorro te viniste a convertir en el príncipe azul. En serio, estoy jodido. Tiene un pibe enfermo, se lo quieren cargar también a él. ¿Y yo qué puedo hacer? Ayudarme, tengo que rajarme y ando sin un peso. ¿Y vos creés que yo soy rico? Usted puede conseguir la guita, no es mucho lo que necesito. No sé de dónde sacás eso. Le puedo dar los datos que anda buscando. ¿Qué datos? Lo que pasó con Amalia y con su hija. ¿Y cómo sé que no te inventás una historia para sacarme la guita? No necesito otro enemigo, Lascano, tengo que rajarme cuanto antes. ¿Cuánto querés? Diez lucas. Voy a tratar de conseguírtelas, pero me llevará un par de días. Tengo miedo. ¿Querés que dibuje la guita? Está bien, pero hágala corta. No te prometo nada, voy a hacer lo que pueda. Bueno, pero métale. ¿Dónde te encuentro? Le doy mi dirección.

Lascano abre la libreta por una hoja cualquiera, se la pasa a Molinari y le entrega su lápiz. Poroto lo toma, anota con letra tosca y se lo devuelve.

Una cosa más, Lascano. Te escucho. Usted también está marcado. ¿Querés asustarme? No, le digo lo que escuché. Van a traer a uno de la capital para que se encargue. ¿Sabés quién es? No lo dijeron.

Poroto sale apresuradamente. Pensativo, el Perro lo observa alejarse por la calle con paso inseguro, volviéndose repetidamente con mirada de conejo hasta que desaparece al doblar la esquina. Camina hasta Colón, donde pregunta por un locutorio. No está muy cerca, pero resuelve ir andando. Se siente desubicado entre tanto turista en ropa de playa y ojotas, cargando sillas plegables, canastas para el picnic, y apurados por disfrutar de las vacaciones que se les escapan entre los dedos. Se felicita por no haber ido a buscar el auto, en la avenida hay un embotellamiento fenomenal. A la puerta de los restaurantes populares se forman largas colas de comensales. El sol cae perpendicular sobre las calles atestadas. Lo encandila la luz que rebota en la vereda. Los veraneantes se convierten en figuras espectrales que hormiguean hacia y desde la playa por la plaza San Martín. Pintores al paso estampando paisajes marinos con sus espátulas; dibujantes que ofrecen caricaturas al instante; chiringuitos repletos de miniaturas de leones marinos, caracoles pintados, recuerdos de Mar del Plata y ceniceros de concha. Lascano cruza la calle para refugiarse del sol en la flaca sombra que a esta hora proyecta la malvada arquitectura de las pajareras para turistas. El locutorio es un horno atiborrado de gentes que esperan su turno para llamar a los parientes. Impacientes, se agolpan semidesnudos, transpirados y oliendo a sudor mezclado con crema bronceadora. El Perro toma un número y sale a esperar en la vereda, bajo el cartel desde donde puede ver, con exasperante lentitud, el paso de los turnos en el anuncio luminoso.

Sofía... Soy Lascano... Bien, gracias... No tengo nada todavía... Hay un tipo que dice tener datos sobre Amalia y la nena... Quiere dinero... Diez mil... Bueno, pero no puedo garantizarte que sirva de algo... Lo que vos digas, ¿cómo hacemos?... Esperá un momento...

Lascano abre la libreta y la apoya abierta contra el teléfono, saca el lápiz y sostiene el tubo pegado a la oreja ayudándose con el hombro.

Sí, decime...

129

Escribe debajo de la dirección de Poroto.

Está bien... Mañana lo voy a ver... Pero mirá que es posible que no sepa nada importante y me esté macaneando por la plata... Está bien, pero te lo tengo que decir... Como te parezca... Te llamo en cuanto sepa algo... De acuerdo... Chau...

Regresa a la calle, al tumulto.

29

El Perro se aposta a pocos metros del Besitos. Con un fuerte *déjà vu*, se ubica en la calle de enfrente, en diagonal al putero, entre dos árboles, a fin de reducir el riesgo de ser descubierto, y vigila la entrada. Aparece Cholo a la puerta barriendo basura hacia la vereda, vuelve a entrar, cierra. Un camión de reparto se estaciona; el chofer, con un papel en la mano, salta de su asiento y golpea la puerta. El acompañante baja, abre el portón trasero, saca una caja de cartón, la deposita en el suelo junto al chofer y regresa a su puesto. Cholo sale, conversa brevemente con el repartidor, firma el papel, empuja la caja hacia dentro con el pie y cierra. Con tres pasos, el chofer está de vuelta al volante y arranca dejando tras de sí una estela de humo negro. Durante las siguientes dos horas no sucede nada, no hay movimiento. Comienzan a llegar las chicas. Una viene sola, otras dos se reúnen en la esquina y van juntas hasta el local. Otro par se encuentra a la puerta, una más las alcanza justo antes de que Cholo vuelva a cerrar. Llega Yancar y entra. Lascano se parapeta tras el árbol más próximo. Yancar sale y se aleja hacia la esquina opuesta. Remera blanca con cuello rojo, pantalón azul. El Perro toma nota mental de su vestimenta y, en cuanto se aleja una docena de pasos, comienza a seguirlo por la otra vereda tratando de no perderlo de vista. Yancar dobla la esquina y camina decidido entre los turistas vacilantes. Vuelve a doblar y apura el paso. Esta calle está menos poblada. Lascano se detiene para dar tiempo a que se aleje. A casi cien metros de distancia lo ve cruzar la bocacalle en diagonal. En medio, tres generaciones de una familia conversan junto a la entrada de un edificio. Lascano trota hasta el grupo. Yancar se detiene. Su viejo instinto le advierte que alguien le sigue. Empieza a girar lentamente la cabeza para mirar atrás por encima de su hombro. El Perro le da la espalda velozmente y encara a la familia.

Perdón, ¿me podrían indicar la calle Güemes?

El más viejo de la familia comienza a explicarle cómo llegar, pero Lascano no lo oye ni lo mira. Sus ojos están atentos a Yancar, a quien puede ver reflejado en los cristales del edificio, mirando hacia ellos. Yancar se vuelve y reanuda la marcha. Veinte metros más allá entra en una casa de departamentos sin terminar. En la esquina hay un bar. Lascano se dirige allí y se sienta a una mesa alejada de la ventana, pero desde donde puede ver el lugar al que entró Yancar. Pide un café, lo paga en cuanto se lo sirven y no lo toca. Dirigiéndole una violenta gesticulación, Yancar aparece en la vereda con Marcelo. La escena dura unos minutos hasta que, a un gesto, Marcelo vuelve a entrar. Yancar enciende un cigarrillo y se pasea nervioso por la acera hasta que regresa Marcelo con Jazmín. Yancar la toma del brazo y comienza a desandar el camino. Lascano espera unos segundos y luego sale tras ellos con tranquilidad. Se imagina hacia dónde se dirigen, y una pareja es más fácil de seguir. Los ve entrar en el Besitos ya abierto, con el gorila montando guardia. El breve instante en que la cortina roja se abre proporciona a Lascano una instantánea del interior: el barman, las putas, la barra y los muebles, ordinarios y mullidos, iluminados por luces multicolores y recorridos por los destellos del globo de espejitos que gira en lo alto. Tres clientes de unos sesenta años se acercan a la puerta, el gorila descorre la cortina y entran, todo sonrisas.

30

No confía en que Lascano le consiga el dinero que le pidió. En el barrio de Los Troncos, Molinari espera oculto entre los cafetos de un terreno baldío de la calle Matheu. Ya es medianoche y los habitantes de la casa que vigila no dan más señales que sus siluetas fugaces dibujándose en las cortinas. A la puerta, atravesado sobre la vereda, el BMW plateado se mancha con la sombra de las hojas de los eucaliptos. Se muerde los labios, anuda y desanuda sus dedos. Pasan dos horas hasta que por fin la puerta se abre, salen las dos parejas jóvenes y, bromeando y riendo, se meten en el auto y parten cuesta arriba hasta Irigoyen, por donde doblan y desaparecen. Poroto deja su escondite, se cerciora de que nadie lo ve, cruza y sortea el cerco de ligustro. Observa la cerradura, saca de su bolsillo el juego de ganzúas y elige una. Suple la torpeza de sus manos con tenacidad. Finalmente logra embocar la grapa en la bocallave. Con el resto de destreza que le queda de su viejo oficio, la gira hacia un lado con el oído atento. Oye un clic, la gira en sentido inverso, otro clic. Le da toda la vuelta y siente el pestillo descorrerse. Revisa nuevamente la calle. Nadie, sólo un auto que se acerca, a dos cuadras. Acciona el picaporte, abre, entra, cierra. Aguarda hasta que las luces del coche, filtrándose a través de la persiana, terminan su recorrido lineal por las paredes. Se dirige resueltamente escaleras arriba hacia la habitación principal. Abre uno a uno los cajones del armario. Encuentra un Rolex, se lo mete en el bolsillo. La cómoda no rinde nada. En la otra habitación sólo halla una cámara fotográfica barata, la descarta. No descubre ninguna caja fuerte. Baja. Nada de valor en la sala. Se acerca al aparador, revisa los cajones: cubiertos, manteles, juegos de mesa, naipes. Ruido en la calle, puertas que se abren y se cierran, voces que se acercan. Va hasta la puertaventana que da al jardín, la descorre, sale y se oculta tras una mata. Desde allí ve encenderse las luces de la casa, y a las dos parejas que inmediatamente se dan cuenta de que alguien estuvo allí. Uno de los muchachos toma el teléfono. Poroto se escabulle hasta la medianera, salta, se aferra al borde con las dos manos y trepa. Se sienta en el tope, el Rolex cae de su bolsillo. El otro joven se asoma al jardín y mira alrededor. Molinari se descuelga al terreno vecino, su pie da con un cascote y se lastima el tobillo. Renguea hasta un cantero de cañas que cubren un cerco de alambre. Del otro lado, sorpresivamente, un perrazo bravo le da un susto de muerte. Con el corazón redoblando, logra llegar a la calle y alejarse con toda la rapidez que permite su mal paso.

Media hora más tarde, enojado y deprimido, llega al departamento de Juja. Lascano es ahora su única esperanza. Habrá que aguantar hasta la mañana, si no aparece deberán irse como puedan. Colarse en el tren con la mujer y el chico no va a ser muy fácil, con seguridad los van a descubrir. Pero si se las apañan para que no los encuentren hasta que el convoy parta, los guardias deberán esperar a llegar a la estación Maipú para bajarlos. Allí verá cómo seguir. Llama a la puerta. Unos segundos después abre Juja. Esta pálida y tiene el terror pintado en la cara. Se hace a un lado, Poroto entra. En el sofá, el Pardo Rocha lo mira y sonríe. Con la pistola le ordena que se siente frente a él, junto a Chito. El chico está muerto de miedo y respira con dificultad. Juja ruega.

Por favor, dejame buscar el remedio para el nene.

Rocha condesciende con un gesto. Juja se mete en el baño, regresa con el medicamento y lo rocía directamente en la boca de Chito. Se sienta y lo abraza. El niño apoya la cabeza entre las tetas de su madre, se acurruca y cierra los ojos. Rocha se pone de pie.

¿Qué anduviste haciendo, Poroto? ¿Yo? Sí, vos. Nada. Te vi hablando con Lascano. ¿A mí? No me hagas perder la paciencia, sí, a vos. Anda en busca de una chica que se perdió hace mucho. ¿Qué le contaste? Yo no sé nada, ¿qué le voy a contar? ¿Para qué fuiste a verlo al hotel?

Poroto se desorienta, no sabe qué inventar, la vista fija en el cañón de la pistola que le apunta.

Te hice una pregunta. Nada, le dije que tenía información para ver si le podía sacar guita. ¿Qué información? Ya te dije que no sé nada de esa piba. Le iba hacer el cuento. A ver, contámelo a mí. No sé... que la había visto en un putero de General Madariaga. ¿Te creyó? No le dije nada, primero me tenía que conseguir la guita. ¿Qué más? Nada más, me dijo que iba a tratar, pero ése está mas pelado que yo. ¿Seguro? Seguro.

Rocha le dispara a la cabeza. Poroto cae fulminado. Juja se levanta con el hijo en brazos y pide a gritos:

No, por favor, yo no sé nada, te lo juro...

Rocha la para en seco.

Callate.

La mujer obedece.

Siéntense ahí.

Juja titubea.

No, por favor, no nos hagas nada. ¡Te dije que te calles y que te sientes! No, dejanos ir, nosotros no vimos nada. ¡Se sientan o los hago mierda ya mismo!

135

Vacilante, sin soltar al niño, Juja obedece. Rocha los mira y se pregunta:

¿Qué es más cruel, matar a la madre frente al hijo, o al hijo frente a la madre?

31

Lascano entra en la inmobiliaria que le indicó Sofía. Anuncios de departamentos en alquiler para la temporada. En un escritorio se aburre una chica de unos veinte años. En el otro trabaja el que debe de ser su padre, el parecido es notable, los dos son bizcos y tienen el cabello del Pájaro Loco. El Perro le pregunta a ella por el señor Marsán. El hombre se levanta.

Soy yo. Vengo de parte de la señora Sofía Taborda.

Sin decir palabra, el tipo abre un cajón, saca un sobre de papel Manila cerrado con cinta y se lo entrega. Lascano lo guarda, da las gracias y se retira. Al llegar al barrio de Poroto, no encuentra un hueco donde dejar el auto. Da varias vueltas hasta que localiza un estacionamiento a cuatro cuadras. A medida que sube, el sol abochorna la ciudad balnearia. Los turistas abandonan sus palomares rumbo a la playa. En la vereda, el portero conversa con un vecino. Entra, sube, llama. Nadie contesta. Pega la oreja a la puerta. Silencio. Insiste. Empuja el picaporte, se abre. Pasa al interior. Da dos pasos y se detiene. Poroto yace en el suelo. En el sillón, en cruz, el cadáver de Juja y, lo que más odia, el de un niño. Sangre en las paredes. Cierra la puerta.

Se puso jodido el baile.

Se inclina sobre el cuerpo de Molinari. Un disparo en la cabeza. El chico tiene el pecho abierto por una herida de bala que lo atraviesa. La mujer la tiene a la misma altura. Para madre e hijo el asesino usó una sola bala. Cuando les disparó, el pibe estaba en la falda de su madre.

Era verdad que Poroto sabía algo.

Va al dormitorio. También está intacto. Revisa sus bolsillos. Tiene el dinero que le entregó el Pájaro Loco, lo que queda de su propio dinero y sus documentos. Piensa.

Es hora de revolver el avispero.

Sale sin tocar nada. El portero sigue conversando distraídamente. Para evitar pasar por delante de él, Lascano camina en dirección contraria al estacionamiento. Da la vuelta a la manzana y va en busca del auto. Conduce hasta Los Gallegos, la antigua tienda departamental ahora convertida en centro comercial. Compra un traje, tres camisas, cuatro pares de medias, tres calzoncillos, un blíster de máquinas y crema de afeitar, cepillo y pasta de dientes, un peine, un sombrero y anteojos de sol. Va hasta el locutorio. Llama al Canal 10, pide que le pongan con el noticiero y les da el dato de las muertes de Poroto y compañía, así como la dirección, y les comenta que la mujer trabajaba en el Besitos. Corta. Regresa a su auto. Cruza la ciudad y se registra en un hotel de Punta Mogotes. La habitación «superior» apenas tiene espacio para la cama y una pequeña ventana. Desde ella, estirando el cuello hasta la tortícolis, puede ver una franjita de la playa azotada por las arenas que todas las tardes disparan los vientos del Atlántico, y una muestra gratis del mar. Se acuesta mirando el techo, pensando en la manera de revertir la situación, que se ha puesto muy interesante, es decir, sumamente peligrosa. Va quedándose dormido. Se sueña Robinson Crusoe, solo, perdido en la isla desierta a la que bautizó Esperanza.

Lascano despierta y enciende el televisor. Los programas de noticias arden con la muerte de Juja, Poroto y el chico. Las imágenes no le ahorran nada al espectador. Con ojo desviado, los locutores de los noticieros leen en el *teleprompter* editoriales de indignada condena moral y le cargan las tintas al gobierno. El Perro se levanta, se desviste, entra en el baño para darse una afeitada y una ducha. Se viste con sus ropas nuevas. El pantalón le queda un poco largo. Sentado en la cama, pliega el dobladillo. Se mira brevemente en el espejo y sale.

La costanera está atestada de autos que andan de paseo. Muchachos en moto posando de rebeldes. Jóvenes en el coche de papá que, a paso de hombre, van buscando chicas junto a las aceras. Familias con la piel enrojecida por el día de playa. Abuelas bordeando, a paso cansino, el murete que separa la calle de las rocas y el mar. Decide evadirse del tráfico, gira por Fortunato de la Plaza hasta Jara, y en pocos minutos llega a Constitución y al Little Love. El bar está cerrado. Baja del auto y se dirige a la puerta de servicio. Hay luz tenue en la claraboya. Golpea. Bolita Rossi abre. El Perro se da cuenta de inmediato que está armado.

Buenas. Buenas. ¿Está Pocha? ¿Quién la busca? Lascano. Momento.

Bolita cierra de un portazo. La puerta vuelve a abrirse, Pocha se asoma; detrás de ella, Rossi monta guardia.

Usted de vuelta, ¿qué quiere? Tengo un mensaje para tu hermano. ¿Qué hermano? Dale, Pocha, que los conozco bien. A mi hermano hace mucho que no lo veo.

Lascano sonríe.

Bueno, si lo llegás a ver decile que Lascano le dejó un mensaje. ¿Qué? El Pescado está en Mar del Plata.

Pocha apoya una mano en la puerta.

¿Algo más? Nada más.

El Perro se queda un instante mirando la puerta que acaba de cerrarse. Camina hasta el auto, se pone al volante y regresa al centro, al Besitos. Escobillón en mano, Cholo acude al llamado.

Está cerrado. Lo busco a Yancar. No conozco a ningún Yancar.

32

La llamada que acaba de recibir lo puso furioso. Cuando se enoja, a Rodríguez se le erizan los pelos del bigote y se parece más que nunca a un castor. Piensa y maldice por lo bajo. Levanta el teléfono, marca.

Soy yo... ¿Me querés decir qué carajo estás haciendo?... ¿Cómo con qué?, ¡tres muertos conectados con el boliche!... No me vengas con boludeces, eso sólo pudo ser obra de tu gente... ¿Te dije o no te dije que quería tranquilidad?... ¿Vos viste el quilombo que armaron los medios?... ¿No sabés que cuando pasan estas cosas nunca falta un idiota que abra el pico?... ¡Me importa una mierda!... Oíme bien, quiero que saques a tu gente de Mar del Plata de inmediato... Voy a ordenar la clausura y la voy a mantener hasta que todo se calme... Vos te quedás piola y en el molde... Te aviso, el costo de parar el negocio lo vas a pagar vos... Eso lo veremos después... Nada, no quiero que hagas nada...

Rodríguez corta. Se sienta. Mira la hora. Bebe un trago de agua, levanta el teléfono y marca.

Cristina, conferencia de prensa a las cuatro... Las muertes en Mar del Plata... Llamalo a Pedro, quiero que esté presente... Que venga a las tres.

Impasible, la Momia oye la señal de llamada mientras garabatea cruces y cajas de diferente tamaño en un block.

¿Qué pasó, Pardo?... Me acaba de llamar Erre indignado... ¿A los tres?... Te dije que a ella no... Por favor...

La Momia oye las explicaciones sin cambiar de expresión, pero los trazos de las cajas y las cruces son ahora más marcados. La punta del lápiz se quiebra.

Me cago en diez... Vamos a abortar... No des nombres por teléfono... Nada, ya se van a encargar de él... Volvé enseguida... Tranquilo... Ni siquiera una infracción de tránsito... Yo me ocupo...

Corta, vuelve a marcar.

Soy yo, Pescado... No muy bien... Si, ya me enteré... Me llamó Erre, está furioso... Van a clausurar todo hasta que pase el despelote... Mañana seguramente... Asegurate de que en el local no quede nada que pueda complicarnos la vida... Avisale a Cholo... Que diga que él sólo es el cuidador y nada más... Le voy a mandar al abogado para asegurarnos... Hacé lo que te dije... No dejes pasar un minuto... Yo te llamo...

Yancar cuelga, se viste apresuradamente y camina a paso rápido hasta el Besitos. Abre con su llave y, mientras se encamina a la oficina, llama a Cholo a gritos. Cuando aparece lo encuentra sacando papeles de los cajones y apilándolos sobre el escritorio.

Sentate, Cholo. Escuchame bien. Lo escucho. Mañana van a venir a clausurar. Mire, jefe, yo no quiero ningún problema. No tenés nada de qué preocuparte. Va a venir el doctor Rafel para ocuparse de todo, vos no tenés que decir nada. ¿Está claro? Clarísimo. Bien, dame algo para meter todo esto.

Yancar continúa apilando documentos y metiéndolos dentro de la bolsa abierta que sostiene Cholo.

Ah, una cosa. Decime. Anduvo un tipo por acá preguntando por vos. ¿Quién? Lezama, me dijo que se llamaba. ¿Lezama? Algo así. No sé quién es. ¿Qué le dijiste? Que no conocía a ningún Yancar. ¿Qué más? Nada, me dio un mensaje para usted. ¿Qué? Me dijo: cuando lo conozcas a Yancar decile que el Loco Romero lo anda buscando por el lado de Constitución.

Yancar deja de guardar papeles y toma a Cholo por los hombros obligándolo a mirarlo.

¿Romero dijiste? Sí, el Loco Romero. ¿Cómo era el tipo? De traje, no muy alto, como de sesenta, un poco pelado, y hablaba muy pausado, en voz baja, pinta de cana. ¿No sería Lascano? ¿Y qué le dije? Lezama. ¿Lezama le dije? Sí. No, Lascano, me confundí. Si vuelve, seguí con que no me conocés. No digas una palabra más, ¿entendido? Lo que diga, jefe.

Yancar arroja la última carpeta dentro de la bolsa, la anuda y señala los cajones con un gesto amplio.

Todo lo que queda te lo llevás a la azotea y lo quemás en la parrilla. ¿Ahora? No, ahora venís conmigo. Está bien. Cargá la bolsa, vamos.

Yancar se asoma a la puerta. Nada inquietante, la corriente habitual de turistas del verano. Deja salir a Cholo con la bolsa, cierra con llave y caminan calle arriba.

Vamos a dejar esta bolsa en el auto, de ahí volvés al local y quemás todo, ¿okey? Lo que usted mande.

Entran en el garaje. Yancar acciona el abrepuertas, las luces del auto parpadean. Abre el maletero. Cholo coloca la bolsa, Yancar cierra.

Ahora corré a hacer lo que te dije. A la orden.

Yancar se queda mirando a Cholo bajar por la rampa. Cuando desaparece, se sube al auto.

33

El caballo amarillento que pasta entre bolsas de poliestireno y basura levanta la cabeza cuando el auto de Yancar se detiene junto a la casucha de chapa y toca dos veces la bocina. La cortina que hace las veces de puerta se abre y Correa asoma con el pecho de toro desnudo. Se acerca y sube.

¿Que hay, Pescado? Un laburo. ¿A ver? Necesito dos más. No hay problema. ¿Para? Tengo que enfriar a unos tipos. ¿Los conozco? La banda del Loco Romero. ¿No estaban guardados? Estaban, se fugaron. Vamos a necesitar fierros. Los tengo acá. ¿Cuándo? Ahora. Parece que hay apuro. ¿Podés o no? ¿Cuánto hay? Cinco mil, repartilos como quieras. ¿Y me quedo con los fierros? Está bien. Aguantame un momento.

Correa baja, entra en la choza y sale enseguida poniéndose una camisa. Le hace un gesto de espera y desaparece por un pasillo lateral. El caballo continúa pastando. Yancar enciende un cigarrillo y se acoda en la ventana.

Cuando el sol se oculta tras el montecito, límite de la Villa Paso, Correa regresa con Jacinto y Pelusa. Yancar baja y abre el maletero. Los hombres se reúnen para repartirse dos escopetas y cuatro 38. Se las calzan, suben al auto y arrancan. El caballo alza la cola y aporta cuatro tortas de bosta al basural.

La noche cayó entera sobre el barrio de Constitución. Las

calles están vacías, los comerciantes de las discotecas terminan de asearlas a la espera de los clientes, bajo el tam-tam electrónico de su música de lavarropas. Yancar y sus secuaces vigilan la casa amarilla. Hay luz adentro y se percibe movimiento. Moñito sale, cruza la calle y entra al Little Love por la puerta trasera. Unos momentos después hace el camino inverso cargando una caja de botellas de cerveza. Yancar le da un codazo a Correa.

Andá a pispear.

Correa baja, cruza y camina distraídamente por la vereda, mirando la casa de reojo. Cuando llega junto a la ventana, se agazapa, se aproxima y espía. Romero está sentado en un sillón bebiendo. Detrás de él, Menfis habla y ríe. Moñito toma de la botella junto a un aparador. Armas, no ve. Retrocede y vuelve al auto.

En la azotea, oculto entre las alas de cemento del cisne que disfraza el tanque de agua, Bolita los está observando. Cuando Yancar y los suyos bajan del auto en silencio, da un salto hasta la escalera y, sosteniéndose en la baranda, vuela por encima de los escalones hasta la sala.

¡Ahí vienen!

Los hombres dejan las botellas, toman sus armas y se ocultan tras los muebles. Uno al lado del otro, Romero y Moñito aprietan las Micro Uzi en sus manos, la cabeza gacha.

Afuera, Jacinto y Pelusa se ubican a ambos costados de la puerta, Correa al frente y Yancar un poco más atrás, las armas cargadas y listas. Correa se impulsa, viola la puerta de una patada, entra con los dos cañones de la escopeta amartillados y el dedo tenso sobre el gatillo, Jacinto y Pelusa detrás de él, Yancar en medio de los tres. Vacilan un segundo al ver la sala desierta. Repentinamente, Romero y sus hombres aparecen disparando desde detrás del mobiliario. Las Uzis rocían de balas a los invasores con un sonido fuerte de máquina de coser. Brama la escopeta de Bolita y transforma la cara de Correa en una escupida sanguinolenta sobre la pared. Menfis dispara con las dos manos. Jacinto recibe cuatro impactos de 9 mm en el pecho y cae muerto antes de llegar al suelo. Pelusa patalea su agonía en el suelo a los pies de Yancar, que soltó la pistola, se agarra el estómago con las manos y se derrumba a cámara lenta. Bolita salta por encima de los cadáveres y sale a la vereda. Ladran algunos perros pero el barrio está desierto. Romero se aproxima a Yancar y lo mira apuntándole con su ametralladora. Ríe.

A estos boludos no les dimos tiempo ni para disparar un tiro.

Le hace una seña a Menfis.

El Pescado todavía está vivo, entralo.

Menfis se calza las pistolas a la cintura, toma a Yancar por las axilas y lo mete dentro de la casa. Romero cierra la puerta. Aterrado, Yancar suplica.

No me matés, Loco, por Dios. ¿Dios, decís? No te preocupes, ya te arreglé una cita con él.

Romero le clava el cañón de la Uzi en la mejilla.

¿Sabés lo que te va a hacer esto cuando apriete el gatillo, Pescadito? Te va a dejar esa linda carita como un colador. Después nos vamos a hacer una raviolada con tus sesos, si es que queda algo.

Yancar se desvanece y afloja las manos. De su vientre comienza a manar sangre a borbotones. Romero hace una mueca de disgusto.

El hijo de puta se muere. Qué cagada, quería divertirme un rato con él antes de amasijarlo. Bolita, andá a buscar el auto del Pescado y metelo en el patio.

34

En un descampado de Santa Clara arde el auto donde se cocinan los cadáveres de Yancar y sus secuaces. La banda de Romero regresa a la casa amarilla. Las huellas del tiroteo dibujan ornamentos de sangre en las paredes. Los hombres entran y se quedan contemplando la escena. Ellos también están ensangrentados. Romero sale y vuelve a entrar con una manguera, acciona la llave y comienza a empapar a todos.

Vamos, muchachos, a desnudarse que los voy a bañar como a las bestias que son.

Pasada la sorpresa inicial, todos empiezan a quitarse la ropa y reciben los chorros que les prodiga el Loco.

Ja, los quiero bien limpitos, esta noche hay que festejar.

Luego de empaparlos, Romero dirige el pico hacia sí mismo, se quita la ropa y se limpia. Enseguida lanza el chorro contra las paredes y el suelo, forzando el agua a salir por la puerta. Cambiados, festivos y relucientes, cruzan al Little Love. Pocha está en la caja, las chicas conversan entre ellas, salvo dos que bailan con unos clientes. Con los brazos en jarra para descorrer la chaqueta y dejar a la vista las culatas de sus 38, Menfis se acerca a ellos.

A rajar, esta noche hay fiesta privada.

Los clientes no se demoran un segundo en salir por la puerta. Romero le grita a Pocha.

A ver, hermanita, tragos para todos que estamos de fiesta.

La mujer pone una fila de copas sobre el mostrador, toma una botella en cada mano y sirve sin preocuparse por el derrame. Los hombres se precipitan sobre ellas. El Loco toma a Bolita por el hombro y le da un empujón.

Vamos, abrí un paquete. ¡Chicas, vengan que hay frula para todas!

Pocha sube la música. Bolita esparce la cocaína sobre el mostrador, forma líneas con un cuchillo y corta media docena de pajitas en dos.

Jefe, a usted le toca el honor.

Romero se aproxima, toma una de las pajitas, se la mete en la nariz y aspira una generosa línea entera. Hace lo mismo con la otra narina. Los muchachos y las chicas aplauden. Todos inhalan el polvo blanco. Menfis aprieta a la rubia de tetas enormes al ritmo de la cumbia. Moñito manosea a la petiza culona. Bolita, sentado en un taburete, se concentra en beber y tomar droga. Romero agarra por el brazo a dos chicas y las sienta, una a cada lado en el sillón. Toma a una por la nuca y le hace bajar la cabeza hasta su sexo. A la otra la aferra por la cintura y la atrae hacia él.

A laburar, pibas, muéstrenles cómo se hace.

Bolita pone un CD de Loquillo en el reproductor, sube el volumen al máximo y presiona play.

Tenemos nuestros macarras

149

que nos cobran comisión,
promocionan nuestra imagen
para poder vender mejor,
si estás ahí pide una copa por mí.
Te ha de matar el mismo tiro que a mí.

Hay risas, gritos y aplausos. Se forma un corrillo alrededor de Romero, que aplaude rítmicamente mientras las dos chicas se turnan para la felación. Pocha rellena los vasos hasta vaciar las botellas, las arroja al tacho y va a la trastienda a por más. La puerta se abre y entra un hombre. Alto, elegante, el cabello renegrido anudado en una cola de caballo y los ojos de quien tiene el alma muerta. Camina con una pierna tiesa hasta el centro del salón, seguido por otros siete. Uno se adelanta, se acerca al Bolita y le pone una pistola en la cabeza.

Apaga la música.

El repentino silencio hace que los otros se percaten de la llegada. El rengo se adelanta y enfrenta a Romero.

¿Sabes quién soy?

Romero hace ademán de ponerse de pie y los extraños sacan a relucir sus Uzis.

No te conozco. Soy Gustavo Andrés Camacho Orijuela, muchos me conocen como el Patrón. ¿Qué querés?

Pocha se queda escuchando, inmóvil, en la trastienda. El Loco se pone en pie. Camacho pasea sus ojitos negros por sus hombres, siempre sonriendo.

Me encanta el modo de hablar de estos argentinos.

Lo remeda y su gente festeja la imitación. Vuelve a enfocar a Romero.

Quiero contarte algo que me sucedió. Hace unos días una banda me robó la mercadería, mató a tres de mis muchachos y a mi perro. Algo muy desagradable.

Romero se envalentona.

¿Y a mí qué me venís con ese cuento?

Camacho vuelve a sonreír.

Tranquilo, chico, no te enfades, horita mismo te lo aclaro. Pues fíjate que también me dejaron algo. A uno de ellos se lo comió el perro. ¿Qué me dices? Yo no sé nada de eso.

Camacho le hace un gesto con la cabeza a su lugarteniente. El tipo va hasta el mostrador, mira atentamente el paquete destripado de cocaína y se vuelve hacia Camacho.

Es de la nuestra, Patrón.

Los hombres de Camacho apuntan con sus metralletas a la concurrencia. El lugarteniente alza la voz y señala dos puntos en el suelo.

Las mujeres acá, los hombres allá. Todos de rodillas.

Vigilados de cerca, obedecen. Camacho toma una silla y se la alcanza a Romero.

Siéntate.

Otro de los hombres se aproxima y lo ata con cinta de embalar. Camacho saca una navaja de su bolsillo y coloca la punta a un milímetro del ojo de Romero.

Horita me vas a decir dónde está mi mercadería.

Romero se envalentona.

Andate a la puta que te parió.

Camacho hunde la navaja en el ojo de Romero y se lo hace saltar con un movimiento de muñeca.

Te lavas bien la boca para hablar de mi madre, ¿comprendes?

Romero sacude la cabeza y gime.

Ahora bien, te lo voy a repetir y más te vale que me respondas o pierdes el otro. ¿Donde está mi mercadería?

Pocha deja las botellas en silencio y se oculta dentro de una alacena. Bolita tiembla y tartamudea.

E-en la-la ca-casa q-que está at-trás.

Camacho se vuelve hacia él.

¿Dónde? La amarilla, enfrente, sa-saliendo por esa puerta.

Camacho mira a su lugarteniente y éste sale por donde se indicó.

Gracias, muchacho, serás el último en morir.

Todos esperan en silencio. Camacho limpia la navaja en el pecho de Romero y aguarda. Regresa el lugarteniente. Hace un gesto y vuelve a salir seguido por uno de sus hombres. Vuelven al cabo cargando una bolsa de plástico negro.

La tenemos, Patrón. Está casi toda.

Camacho se vuelve, camina hasta la puerta y sale.

A poca distancia, en su auto, Lascano ve a Camacho, a su lugarteniente y al hombre con la bolsa. Se suben a uno de los

4x4 negros estacionados a la puerta y parten. Las ventanas de la casa relampaguean con los destellos de las Uzis. Los otros cuatro salen, abordan el otro vehículo y se van. El Perro anota los números de las placas en su libreta. Cuando las luces traseras desaparecen, baja y entra al Little Love. Romero está muerto, amarrado aún a la silla volteada. Menfis yace a poca distancia. Sus dos pistolas, simétricas a ambos lados de la cabeza, forman una especie de corona del hampa. Las piernas de Bolita asoman por detrás del mostrador. El local está sembrado con los cadáveres acribillados de las chicas. Oye un ruido en la trastienda. Toma una de las armas de Menfis y se cerciora de que esté cargada. La amartilla y, apuntando hacia delante, se encamina hacia el sonido. A través de la puerta trasera ve la casa amarilla, también abierta. Todo está en silencio a no ser por los grillos. Pocha no puede contener un gemido. Lascano se acerca a la alacena y abre apuntando hacia dentro. Hecha un ovillo contra el fondo, Pocha le vuelve su cara deformada por el miedo y enseguida se cubre los ojos con las manos.

No, por favor, no me haga nada, yo no sé nada, no tengo nada que ver. Yo no lo vi.

Lascano calza el arma en su cintura. Ella se sobresalta cuando El Perro le pone una mano en la cabeza.

Tranquila, no pasa nada.

La mujer rompe a llorar. Lascano la toma por un brazo y la ayuda a salir. Semidesvanecida, la conduce hasta el salón. A la vista de la masacre, suelta un grito de horror. El Perro toma una copa y le hace beber whisky. Pocha se lo traga. La sienta en un taburete.

Bueno, querida, ahora, si no querés que te entregue, vas a tener que responder algunas preguntas.

Pocha se vuelve para darle la espalda a los muertos y sorbe sus mocos.

Sacame de aquí.

Lascano la toma del brazo y la lleva hasta la calle. Pocha inspira profundamente y lo mira a los ojos.

¿Qué quiere saber? Lo que pasó con Amalia. Una noche Lobera y otros canas las trajeron a mi casa. Me dejaron a la nena y a ella se la llevaron. Después me enteré de que la habían matado. ¿Y con la nena qué pasó? Lobera tenía orden de matarla también, pero yo no lo dejé, era un bebé. Le dije que me tendría que matar a mí también. ¿Y? Me la dejó. ¿Dónde está?

35

En el asiento de atrás, sujeta a su silla de seguridad, Candela mira por la ventanilla. Por el camino que conduce a la playa, el Renault va dando bandazos. A medida que avanzan van dejando atrás las edificaciones de cemento gris. Alguna vez estuvieron dotadas de detalles decorativos que pretendían disimular una arquitectura de caja de zapatos con olas de mampostería, vegetación de cemento o abigarradas mayólicas. Los vientos, que suelen despertar después del mediodía para ametrallar la costa con incesantes ráfagas de arena y salitre, se encargaron de picotear esas formas monstruosas cocinadas por el sol de la pampa. En los cristales de las Ray Ban de aviador que usa Lobera se refleja el camino, resquebrajado con mil baches arenosos por los que va rebotando el Renault verde. Maneja recostado contra la puerta, acodado en el marco de su ventanilla, sudando a lo chivo. Camisa multicolor abierta que deja a la vista el pecho en el que encanece la pelambre, entre la que florea un medallón dorado. No ve el momento de llegar al parador de la playa donde lo esperan sus amigos, y la brisa marina le da algún respiro al sopor de enero. Empapada en su propia transpiración, Candela va quedándose dormida. El estacionamiento está lleno de automóviles, pero Lobera se las ingenia para embocar el suyo bajo el cartel de Los Payasos, entre un seiscientos destartalado y una pick up picada de viruela que alguna vez fue roja, con medio culo invadiendo la calle. Al bajar, un puñado de arena incandescente se le cuela en las sandalias. Las sacude con movimientos de perro mientras mete la panza para poder salir por el estrecho espacio que deja la puerta apretada por el seiscientos. Se pregunta cómo va a arreglárselas para sacar a la niña. Al ver que se quedó dormida, decide dejarla allí. Cierra el auto y trota hasta la vereda entablillada del parador. En cuanto entra, Lobera divisa a sus amigos en una mesa junto a la ventana. Sobre ella suda la jarra, por la mitad de sangría. La playa está llena de turistas en lucha con el viento por el control de las sombrillas. En el mar chapotean los pequeños y las abuelas enfrentan las olas tomadas de la mano. El Turco alza un brazo. Lobera se abre paso entre el barullo de los veraneantes, los gritos de los chicos, y los mozos que aúllan sus órdenes a la cocina.

¿Y las brujas?

Gómez, barajando los naipes con habilidad de crupier, da un cabezazo hacia el fondo del salón, donde Pocha, de espaldas, conversa con las otras mujeres sin advertir la llegada de su hombre.

Ahí, chusmeando.

Lobera se sienta en la única silla vacía. Se sirve vino y bebe con ansiedad.

¿Estamos para un truquito?

Tito levanta la jarra y le grita al mozo.

Pelado, traete otra.

Gómez sortea las parejas repartiendo las cartas boca arriba. Tres de oros, cuatro de bastos, seis de bastos, rey de copas. El Turco la levanta y señala al hombre a su lado.

No se te ocurra darle otro rey a éste, la última vez me hizo perder hasta los calzones.

Tito lo mira burlón.

Dale, campeón, que los quisiste correr con el envido y tenían treinta y dos.

Gómez continúa dando. El Pelado deja un plato con papas fritas, la jarra llena, y se lleva la vacía. El otro rey le toca al propio Gómez. Lobera cambia de lugar con Tito para quedar frente a su pareja.

¿Por cuánto?

Cuatro muchachos llegan en dos motos y las estacionan junto a la entrada. Una de ellas hace una explosión al apagarse. Candela entreabre los ojos, los payasos gigantescos que ríen mal pintados en el anuncio la están mirando, vuelve a dormirse.

Con ademanes ampulosos, Lobera se pone en pie, levanta una mano en la que tiene un naipe y, con gesto de triunfo, arroja el as de espadas sobre la mesa.

¡Tomá, mierda!, para que tengas, para que guardes y para que repartas.

El Turco se levanta y alza los brazos.

¡Ése es mi macho, carajo!

Sudoroso, Tito se levanta también.

Si no fuera porque estás en bolas, estaría seguro de que la sacaste de la manga.

Burlón, Lobera se restriega los ojos.

Lloren, bailarinas, lloren.

Afuera, a los saltos por la arena caliente, va una familia. Papá carga la heladera portátil, mamá la sombrilla, el mayor la canasta y el menor conduce por la correa a un perro de lengua ansiosa.

Tito y el Turco simulan escenas de pugilato. Lobera está exultante.

¡Pelado!, otra.

Le pasa la mano por la cabeza a Tito.

Ésta va por cuenta de los per-de-do-res.

El Turco se coloca junto a la puerta.

A ver, muchachos, una carrera hasta el agua.

Los cuatro hombres se apresuran hacia la salida y corren por la playa, entre las sombrillas, esquivando a los niños y a las viejas, a quienes llenan de arena. Dando gritos y relinchos, entran en el mar y se zambullen bajo las olas.

El perro de la familia sale del parador y husmea entre los autos. Se aproxima al Renault de Lobera, levanta la pata y orina sobre la rueda trasera. El menor aparece llamándolo, lo alcanza, se agacha y ata la correa al collar. Al levantarse, ve a Candela desvanecida en el asiento trasero. Se queda un instante paralizado con la boca abierta. Corre hacia la playa.

En la orilla, Lobera y sus tres amigos toman el sol con los pies en el agua, bromean y ríen.

Sale el menor, seguido por papá y dos suboficiales de la Prefectura. Corren hasta el Renault. Uno de los militares intenta abrir la puerta sin lograrlo. El otro desenfunda su bastón y golpea la ventanilla delantera haciéndola estallar. Candela no despierta.

Eso fue lo que pasó.

Lascano mira a Pocha con asco, con desprecio.

¿Por qué mataron a Amalia? No sé cuál era el problema, Lobera nunca me lo quiso decir. Lo que sí sé es que alguien la entregó para que la hicieran boleta. ¿Quién? Le dicen la Momia.

La mujer tiene un vahído, se recuesta contra la pared, apoya la cabeza y se deja caer blandamente hasta quedar sentada en el suelo, las piernas abiertas y los brazos sin fuerza caídos a los costados. Rompe en un llanto nervioso mezclado con una risa histérica. El Perro la contempla desolado unos instantes. Se pone en cuclillas, la toma por el mentón y le hace levantar la cabeza para mirarla a los ojos...

36

Lascano mete la llave en el arranque. Antes de hacerla girar le echa una última mirada a Pocha, sentada en el suelo, hundida en un llanto histérico, a la puerta del Little Love. Se pregunta si debería hacer algo por ella. La mujer se pone en pie y comienza a alejarse con paso errático. Su silueta va fundiéndose con la noche hasta que desaparece. Los faros de una camioneta que gira por la esquina la iluminan fugazmente para devolverla a la negrura. Lascano se encoge en el asiento y observa a través del aro del volante. El vehículo se detiene a la puerta del cabaret. Luce en la puerta el ridículo escudo de la ciudad: una foca con corona. Bajan dos funcionarios con maletín y cintas de clausura. Entran en el local. Salen enseguida, pálidos como fantasmas, y, a la carrera, regresan al transporte municipal. El motor se pone en marcha, la camioneta da un brinco y se detiene. Marcha nuevamente y sale disparada. Lascano arranca, gira en U por Constitución y baja despacio, pensativo, directo hasta la playa. Se detiene, el inminente amanecer viste de plomo el océano. El mar, en calma, respira como un animal herido. Por la Costanera, los últimos adolescentes noctámbulos huyen del día corriendo picadas en el auto de papá.

Todo aclarado. No tiene nada más que hacer en esta ciudad. Llegó la hora de regresar a Buenos Aires para darle las malas noticias a Sofía. Considera hacerlo en el auto, en la agencia le dijeron que podía devolverlo allí. Las cosas que tiene en el hotel carecen de importancia. Sólo tiene que tomar para el lado de Camet, meterse en la Ruta 2 y emplear el tiempo que dura el viaje en imaginar cómo, con qué palabras, le contará a Sofía lo que averiguó. La ciudad brilla junto a la línea costera. El cielo se aclara. La angustia lo arrasa. Por la cabeza de Lascano desfilan las imágenes de Chito, ejecutado en brazos de su madre, de Candela en deshidratada agonía, de las chicas acribilladas en el Little Love. Quisiera ponerse a llorar, pero la tristeza se convierte en rabia, furia que demanda acción. Todavía le queda algo por hacer. Pone primera y se incorpora a las carreras que se disputan por la costanera. Pero Lascano no corre contra ellos, está corriendo contra la infamia del mundo, de los hombres, y está decidido a ganarles aunque sea una ínfima batalla.

Clava los frenos a la puerta del Besitos. Comprueba con disgusto que ya está cerrado. Baja, golpea con el puño hasta que Cholo abre. Le da un empujón que lo sienta de culo, lo toma por las solapas, le pone el cañón de la pistola en la cabeza y le grita:

¡Dónde están las chicas!

Cholo se orina encima.

Ya se fueron.

El Perro lo suelta bruscamente, la cabeza de Cholo da en el suelo.

Acostada, en la oscuridad, Jazmín no duerme, aprieta en su puño la medalla milagrosa, pero siente tanto miedo que no puede rezar. A su lado, despierta y también tensa, Iris se muerde los labios. Temen hasta respirar, los oídos atentos a los sonidos que provienen de la sala donde conversan y ríen Corina y Marcelo. Tiemblan ante la expectativa de que en cualquier momento se abra la puerta y entren. Procurando distraerse, Jazmín dirige la mirada hacia la ventana. Le parece ver una sombra, un rostro, un par de ojos que la espían, una presencia que se acerca y se aleja y vuelve a acercarse. Inmóvil, siente que la sangre se le enfría en las venas.

Pistola en mano, Lascano entra en el edificio a medio construir. Tres escalones de cemento desnudo. A su derecha, un vano sin puerta. Adentro distingue a un hombre que duerme en el suelo envuelto en los harapos de una manta. Al frente, una puerta amarilla con tres cerraduras, a la que pega una oreja. Voces jóvenes, varón y mujer. Se retira un paso, amartilla el arma y llama.

¿Quién es?

Lascano se prepara para el ataque.

Yancar.

En cuanto la puerta se abre, arremete contra Corina, la toma por el cuello y entra. Marcelo se levanta del sillón de un salto. Lascano lo encañona.

¡Quieto, pendejo!

Marcelo se inmoviliza. El Perro empuja a Corina hacia Marcelo.

¡De rodillas, los dos!

Obedecen. Sin dejar de controlarlos con la mirada y con el arma, recula hasta la habitación y abre. Adentro, Iris y Jazmín se abrazan aterrorizadas. Lascano les hace un gesto tranquilizador.

Vengan conmigo. Vuelven a casa.

Las chicas se miran con temor. La voz de Lascano es tranquila y fiable.

No tengan miedo.

Se levantan tímidamente y caminan hacia él.

Por acá.

Tomadas de la mano, pasan por la sala donde Corina y Marcelo siguen arrodillados. El Perro señala la salida.

Espérenme en la puerta, ahora salgo.

Al quedarse solo, encañona a sus prisioneros. A su dedo lo tienta apretar el gatillo. Volarles la tapa de los sesos en esta noche sangrienta. Acabar con ellos. Pero algo en él se resiste, se lo impide. Va hasta Marcelo, se inclina para palparlo de armas. Corina suelta un alarido agudo. Por reflejo, Lascano se vuelve hacia ella. Marcelo le salta encima y lo abraza. Uñas erizadas, Corina le cae por la espalda. El Perro aprieta el gatillo. La detonación paraliza la escena. Con gesto atónito y movimientos de borracho, Marcelo retrocede dos pasos. Lascano da un respingo violento y Corina sale volando de sus hombros. Su cabeza produce el sonido de un coco maduro al chocar contra la pared. Marcelo abre la boca, parece que va a decir algo, pero su boca suelta un vómito de sangre negra. Se derrumba a cámara lenta. Ahogándose, su cuerpo es sacudido por una serie de espasmos. Una mueca bestial transforma el rostro de Corina mientras comienza a ponerse de pie con mirada asesina. Lascano toma distancia y le apunta. En las manos de la chica aparece una navaja.

¡Quieta!

Corina se recuesta contra la pared. Sonríe. Levanta el puñal y se da un largo tajo en el cuello que pulsa sucesivos chorros de sangre roja y brillante.

El departamento queda quieto, en silencio. En sus madrigueras, las ratas olfatean el aroma a carne recién muerta.

37

Aeroparque, llueve, hay un solo taxi para la fila que se impacienta en la parada. Lascano contempla el río confundido con el cielo. Los faros urgentes de los automóviles que corren por la Costanera ponen a brillar las gotas un instante antes de atropellarlas. Tras el barandal se afantasma el club de pescadores, que parece flotar en la niebla. Luego de media hora llega al primer lugar, su taxi se aproxima por la rampa y se detiene a su lado. El chofer baja, le da la vuelta al auto cojeando notablemente y abre el maletero. El abrepuertas le hace un gesto.

Sin valija.

El conductor regresa a su puesto. Lascano desliza una moneda en la palma abierta del hombre y se acomoda en el asiento trasero.

Libertador y Ocampo, por favor.

El auto sale a la avenida. El Perro observa al chofer por el retrovisor.

A vos te conozco.

El tipo le devuelve una mirada recelosa.

Tengo una cara común, siempre me encuentran parecido con alguien.

Lascano ríe.

Dale, Quince, ya te olvidaste de mí.

El tipo detiene el automóvil junto a la acera. Instintivamente, Lascano se lleva la mano a la cintura, donde antes cargaba su pistola. Quince se vuelve.

Sí, Lascano, soy yo. ¿Qué hacés laburando? Me cagaron, eso me sacó de la joda. No te entiendo. Estoy rengo, para siempre. ¿Te cuetearon? Ni me hables. Me rompí la pierna en un intento, así que tuve que ponerme a laburar, ¿dónde viste un ladrón rengo? Bueno, estás libre. Sí, gracias a los verdugos. ¿Cómo es eso? Platillo tibial, ¿sabés qué es? Ni idea. Es donde se juntan los huesos de la rodilla. Fractura en tres partes. Debe de doler. Ni te lo imaginás. ¿No te lo pudieron arreglar? Para castigarme por la fuga me dejaron como un mes tirado en la celda de castigo. Cuando salí, los huesos se habían soldado por cualquier parte. No tiene arreglo. El abogado me consiguió la libertad bajo palabra a cambio de que yo no armara quilombo con los tipos de Derechos Humanos. Mirá qué bien. ¿Puedo pedirte algo? Pida.

Quince mete la mano en la chaqueta, saca su billetera y le muestra una foto en la aparecen él, una mujer y dos chicos.

Me reformé, Lascano. ¿Seguro? Seguro. ¿Qué me querías pedir? Que no me jodas, ahora soy otro. ¿Te estás portando bien, Quince? Un santo, ya ni siquiera chupo. De casa al trabajo y del trabajo a casa, como decía el general. Okey, dale, arrancá.

El coche se pone en marcha nuevamente. Quince nunca fue un tipo peligroso, en la banda de Romero a lo sumo hacía de espía, de guardia, o manejaba el auto de escape. No sabe que, si no se hubiera quebrado la pata en aquel intento de fuga, ahora estaría frito adentro de un auto quemado en Santa Clara. La vida a veces tiene que rompernos los huesos para que nos pongamos en vereda.

Lascano le entrega un billete a Quince.

Tomá, quedate con el vuelto.

Atraviesa la vereda. El portero, sentado a su escritorio, levanta la vista. Se pone de pie. Con paso diligente, que no llega a ser trote, se acerca y le abre la puerta con una sonrisa.

Buenas noches, señor. Buenas.

Lo acompaña hasta el ascensor, le abre, lo invita a pasar con un gesto, mete medio cuerpo dentro para pulsar el botón del piso 13, sonríe, sale y cierra.

Sofía lo recibe en la cama. Está demacrada, mucho más delgada que la última vez que la vio, y conectada a la botella de plástico que pende del portasuero. Sobre la mesa de luz, varias cajas de Neocalmans, entre otros medicamentos. Lascano pone sobre la cama el sobre de papel Manila. La voz de Sofía ya no es la misma.

¿Y eso qué es? El dinero que me entregó Marsán, al final no lo necesité.

Con un gesto, Sofía lo invita a sentarse en un sillón frente a ella, al lado de la mesita con bandeja, agua cuadrada y dos copas. Lascano se acomoda y se pasa la mano por la boca. Repentinamente se siente sediento.

¿Estás enferma? Me estoy muriendo. Lo lamento. Yo no, llega un momento en que estás harta de la vida... ¿No deberías estar en un hospital? Odio los hospitales, son como los aeropuertos. ¿Qué? ¿Por qué creés que los llaman «terminal»?

Gente que llega, gente que se va. Las lágrimas de ansiedad de los parientes de los viajeros... Los pilotos, como los médicos, ponen cara de saber lo que están haciendo, porque todos piensan que la vida está en sus manos y a ellos les gusta creer que es así. Héroes de cartón. Y en todos el temor a morir, cuando a lo que deberíamos temer es a la agonía. Por suerte existe la morfina.

Sofía vuelve la cabeza hacia los cristales de la ventana, donde las gotas de lluvia se estrellan, se agolpan y descienden en pequeños ríos inseguros. Se produce uno de esos silencios que a las viejas, allá en la infancia, les hacían proclamar que había pasado un ángel.

Pero no quiero hablar de eso. Me dijiste que tenías noticias. Lo siento, pero no son buenas. Quiero saberlo. ¿Segura? Sin anestesia, por favor, ya tengo bastante.

Lascano se revuelve en el sillón, carraspea.

Candela murió. ¿Cuándo? Hace mucho. ¿Cómo? Se la había apropiado uno de los secuestradores, un comisario de la bonaerense. ¿Cómo se llama? Lobera, alias la Chancha. ¿Y? La dejó en un auto estacionado, junto a la playa, un día de cuarenta grados, atada al asiento de seguridad...

Sofía despega la cabeza de la almohada, se muerde los labios resecos, en su mente se proyecta la imagen de aquella agonía, de esa muerte, y sus ojos se congelan por la ira.

¿Dónde está ese animal? Murió también, un infarto. ¡Hijo de puta, como si se hubiera merecido una muerte así! Averigüé otras cosas. Decime. A tu hija la marcó alguien para que la secuestraran. Ese tipo dio la orden de que las matasen a las dos. Lo hicieron con Amalia, pero la amante de la Chancha no lo dejó acabar con la nena y se la quedó. Igual la mató. Sí, por negligencia. Es un asesinato de todos modos. Lo es.

La mujer deja caer su cabeza y se queda mirando el techo. Cuando habla, solloza de rabia.

¿Quién fue el que la entregó? Alguien muy cercano a vos. ¡¿Quién?!

Ahora la voz de Sofía es imperativa y terminante. Lascano querría escoger cuidadosamente las palabras, pero le sale sólo una.

Abeledo.

Sofía cierra los ojos y se queda en silencio durante un tiempo que a Lascano se le hace eterno. Al cabo los abre.

Lo hizo por la herencia. Si ellas están muertas, él es mi único heredero. Ahora yo me voy a morir y el muy hijo de puta podrá quedarse con todo.

Por algún motivo, Lascano siente que tiene que ponerse de pie. Pero no lo hace.

Podemos denunciarlo a la justicia.

Ella suena cansada, destruida, derrumbada.

Veni, el momento es demasiado dramático para que te pongas a hacer chistes.

Nuevo silencio eterno que rompe cuando comienza a hablar para sí misma, monótona, parece estar rezando o citando a un clásico.

No quise saberlo, pero siempre supe que era un hombre con un secreto. Algo oscuro que reptaba en su interior y que a veces asomaba. Destellos. Podía ser una mirada, un movimiento de las manos, una mueca fugaz, un gesto, un solo tono destemplado en su discurso. Eran señales mínimas que me advertían y a las que no quise prestar atención. ¿Por qué lo hice? ¿Por qué negué la evidencia? El deseo, la ilusión de que algún día estaría satisfecha me llevó a creer que la clave estaba en el otro, que ese otro proveería mi satisfacción, porque ni siquiera pude concebir que en el único lugar que podía estar era en mí misma. A lo largo de los años esas pequeñas señales fueron aumentando en intensidad y frecuencia. Me esforcé por esconderlas, por disfrazarlas. Me quedé sola con ese viejo desconocido que ahora está completamente desnudo en su infinita maldad. Me siento apuñalada por la certeza de que convertí en un desastre la vida de quienes más quise y la mía propia.

Ahora sí, Lascano se pone en pie. Sirve agua en una copa y se la ofrece a Sofía. Ella no responde. Bebe él para tragarse el nudo de su garganta.

Sofía, no ganás nada con culparte.

Ella no lo mira.

Ese comisario, como mierda se llame, fue de una negligencia criminal, Abeledo es un entregador criminal, los que mataron a Amalia son criminales. Pero yo también. He sido de una frivolidad criminal...

Las manos de Sofía están agarrotadas en la sábana. El goteo del suero se acelera. El Perro le toma la mano.

Hay algo más que tenés que saber. Decime. Rocha. ¿El chofer de Abeledo? No es el chofer, es su guardaespaldas, un mercenario, un asesino a sueldo. ¿De veras? Le hace los trabajos sucios. Es un tipo muy peligroso. Por orden de Abeledo, mató a tres en Mar del Plata, entre ellos a un chico de ocho años. Tenés que cuidarte de él.

Sofía estalla en una carcajada, sus ojos vuelven a brillar.

¿Cuidarme?, ¿de qué?, ¿de que me mate cinco minutos antes de que muera por mis propios medios?

Lascano ríe con ella. La risa la agota.

Quiero agradecerte tu trabajo, ya recibirás el pago, te lo ganaste metiéndote en ese chiquero. No quiero nada. Perdoname, quisiera estar sola ahora.

La puerta se cierra. Dejó de llover, todo está quieto, demasiado silencio. La mano vuela tenue, temblorosa y manchada, hasta el pulsador que utiliza para llamar a su mucama.

¿Me llamó, señora? Sí, Chinita. ¿El señor? Duerme.

38

Al comisario Balandra lo llaman Flores, por el hábito que tiene de enviarlas al entierro de sus víctimas. Lascano lo observa entrando con su andar paranoico.

¿Para qué querías verme?

Flores lo mira con desconfianza. Lascano sonríe.

Tengo algo para vos. Perro, nosotros nunca fuimos amigos, ni siquiera nos caemos bien. Concuerdo, pero igual te voy a pasar un dato, a lo mejor te ganás una medalla. Mirá, yo sé que fuiste vos el que montó el circo en la casa de Miranda.

Lascano no puede evitar reír.

Eso sí que estuvo divertido. Vos te habrás divertido, pero yo quedé como un pelotudo. Cosas que pasan. Ésa todavía no te la perdoné. Bueno, para que se te pase la bronca te traigo a un criminal atado de pies y manos. Lo detenés y te vas a hacer declaraciones a la prensa con tu uniforme de gala. ¿No me estarás mandando a una ratonera, no? No es mi estilo.

Los ojos de Flores revelan una mezcla de recelo y curiosidad.

A ver, ¿de qué se trata? ¿Sabés quién es Rocha? ¿El Pardo? Sí. Lo conozco bien. Sé cómo ubicarlo. ¿Y? Te doy detalles so-

bre tres muertes de las que se ocupó en Mar del Plata, además de las otras causas que tiene abiertas. ¿Qué te parece? Continuá. De paso te entrego a otro. ¿Quién? Su jefe, la Momia. ¿Quién es? Un cajetilla, se llama Abeledo Perret. A ése no lo conozco. Hasta ahora está limpio. Es millonario, a lo mejor hasta le sacás un peso. ¿Y cómo lo engancho? Ahí vas a tener que trabajar un poco, si lo investigás le vas a encontrar los dedos en el negocio de la prostitución, algunas puntas te puedo tirar. ¿Y vos por qué hacés esto? Por venganza, la viene cagando a una prima mía desde hace años. ¿Por qué a mí? Mirá, Abeledo es un reverendo hijo de puta. Para tratar con un hijo de puta, nadie mejor que otro hijo de puta.

Flores se pone serio.

¿Me estás llamando hijo de puta? Cariñosamente. Algún día me las vas a pagar todas juntas, Perro. Flores, te estoy tirando un negocio de los que a vos te gustan. Este Abeledo tiene más guita que Menem, y vos sabés cómo sacársela. El tipo está metido hasta las manos en asuntos turbios. En vez de amenazarme deberías estar agradecido, pero si preferís conservar el rencor...

Lascano se pone de pie. Flores lo toma por el brazo.

A ver, cómo es la cosa.

Lascano pone un sobre encima de la mesa.

Acá tenés todo lo que sé. Fotos, cómplices, lugares que frecuenta, dirección, la matrícula de su auto..., lo único que falta es un análisis de orina. Con esto los mandás a los dos adentro con pitos y cadenas.

Flores saca los documentos y los ojea rápidamente.

¿Y vos que querés por esto? Ya te lo dije, venganza. Okey, dejámelo, tengo que pensar. Pensalo tranquilo. Una cosa más. ¿Qué? Un consejo, para que veas que en el fondo te quiero.

Dale, me vas a hacer llorar. Abeledo está siempre con Rocha. No necesito decirte lo peligroso que es. Ni se te ocurra ir solo a apretarlo porque te va a dejar frío antes de que digas una sola palabra. No va a dudar un segundo en boletearte. Entendido. Hacé un arresto oficial, con todas las de la ley y con gente de respaldo. Una vez que los tengas adentro, negociá con Abeledo lo que le escribas en el sumario, pero ni un minuto antes. ¿Comprendido? Comprendido.

39

Del cielo encapotado con nubes negras se desprenden rayos coléricos. Ráfagas de efímera y repetida violencia portan presagios del fin. Tras las colinas secas y erizadas de espinos se apagan los ecos de la batalla. El aire trae olor a degüello. Las mujeres, los niños y los viejos de la aldea tienen la vista fija en el horizonte sombrío. Estalla el trueno, se raja la bóveda compacta y derrama una lluvia helada que licua todo sueño, toda esperanza. En la lejanía se confunde el bramido de la tormenta con los tambores del ejército derrotado tocando a muerto. Crece la trágica certeza. La patria se deshace en los charcos ametrallados por un granizo ensordecedor. Ya asoman las cabezas gachas de los soldados que descienden en lenta marcha la resbaladiza ladera. En la vanguardia, una formación de dieciocho guerreros. Nueve a cada lado cargando el entramado formado con las lanzas que prodigaban sangre y terror al enemigo. Un relámpago convierte las negras siluetas en súbitos espectros. Relumbra la armadura dorada que envuelve al cuerpo sobre el improvisado armazón, el brazo colgando y pendulante. Las manos hacen visera y los ojos se entrecierran para ver mejor. El horror toma el mando: ha muerto el héroe. Las madres abrazan a sus hijos, los viejos tiemblan. A mitad de camino, las nubes se abren encima del cortejo y un haz de luna los circunscribe. Por el rayo, desde lo alto, desciende un carro dorado tirado por cuatro caballos espumosos de crines aladas. Las riendas en manos de Frejya, la que gobierna las matanzas, junto con las nueve valquirias que tejen las redes de la guerra y administran *las victorias. Las custodia una manada de lobos hambrientos. Altas bajo sus yelmos, en los campos del cielo, con sus cotas rojas de sangre. De sus lanzas brota una catarata de chispas que se unen sobre la tierra vencida. En el fulgor incandescente toman al héroe por brazos y piernas con amorosa delicadeza. Se elevan lentamente hasta confundirse con las nubes, donde se atenúan y se extinguen los reflejos de sus vestimentas de oro. Es entonces cuando se hace oír el «Gloria a Odín» en majestuoso crescendo. El héroe revive. Celestial, se yergue, camina entre cúmulos y cirros hasta la mansión para atravesar una de sus quinientas cuarenta puertas. Tras ella, las hembras del paraíso lo curarán, lo deleitarán con licores y lo recompensarán con las delicias de su favor y de su belleza. El Valhalla está de fiesta, el rey de los dioses tiene un guerrero más para combatir a su lado en la batalla del fin del mundo. Los cielos vuelven a cerrarse.*

Abajo, en la tierra ennegrecida, los huérfanos mortales quedan a merced del enemigo que avanza hacia el pillaje, el fuego y la depravación. Nada que hacer. No hay adónde huir. Sólo resta una última elección: morir por mano propia o por la del vencedor. En cuanto se desvanecen los ecos de sus carcajadas y el tintinear de los tesoros dentro de las alforjas, no queda nada más que el campo requemado, los cuerpos destazados y el aletear de los cuervos.

Abeledo abre los ojos. Frente a él, Chinita espera con mirada de venado que le dirija la palabra. Se quita los auriculares y pulsa el botón que detiene la reproducción.

¿Que hay, nena? Ya llegó el chofer. Gracias, podés retirarte.

Abeledo se pone la chaqueta, sale al pasillo, atraviesa la cocina y baja por el ascensor de servicio directamente a la cochera en el subsuelo. Encuentra a Rocha esperándolo reclinado contra el guardabarros trasero. Camina hasta el auto y hace un ademán impaciente.

¿Me abrís la puerta? Tengo que mostrarle algo que está en el maletero.

Rocha va a la parte trasera seguido por Abeledo y abre la cajuela. Está vacía, el suelo cubierto por una tela plástica. La Momia se vuelve...

¿Qué...?

Rocha le está apuntando a la cabeza con su pistola.

¿Qué hacés, idiota? Lo voy a matar. Dejate de joder, Rocha. No es joda, jefe, usted es boleta. ¿Estás loco? Pero antes tengo que darle un mensaje. ¡¿Qué decís?! Es de Sofía. ¡¿Qué?! Me pidió que antes de matarlo le diga que esto es por Amalia y por la nena. ¡Pará, Rocha! Dejate de joder, yo soy el que te paga. Lo siento, jefe, Sofía paga mejor.

Rocha dispara. La cabeza de Abeledo se parte y se baña en sangre. Cae. El Pardo enfunda el arma, toma el cadáver por las axilas, lo mete en el maletero, cierra, y se ubica al volante. Pone primera y emprende la subida por la rampa. En cuanto la trompa del auto asoma por la salida, un patrullero le corta el paso y es rápidamente rodeado por veinte policías, las armas desenfundadas, listas y apuntándole. Rocha no piensa entregarse, levanta su arma y lo llenan de balas. Cae sobre el volante, la cabeza muerta presiona la bocina. Flores se acerca, lo empuja y se desparrama sobre el asiento del acompañante. Ordena que registren el auto.

En lo alto, en camisón, sosteniéndose en el portasuero, Sofía se asoma al balcón. Espléndido escorzo de Abeledo: un ovillo sangriento, envuelto en plástico, en el maletero abierto, en la vereda. Chinita llega a su lado, mira y se tapa la boca horrorizada.

¿Es el señor? No, Chinita, era el señor.

Sofía se vuelve y entra en el cuarto.

Chinita. Diga, señora. Champán.

40

La noche antes, cuando se fueron a la procesión, les quisieron robar. Los rateros no lograron entrar, pero dañaron la reja que Braulio y Lisandro están reparando. La desmontaron con la idea de reforzar las fijaciones. Lisandro va apilando los hierros que Braulio le pasa. Al levantarse para recibir más, ve a Lindaura en medio de la calle, desolada y muda. Codea a Braulio, quien se vuelve: su hija es la imagen acabada de la tragedia. Va hacia ella acelerando progresivamente el paso. La chica rompe a llorar.

Reunida en la sala, la familia oye el relato entrecortado de Lindaura. La complicidad de Chini, la impostura de Corona, el periplo hasta Mar del Plata y el desconocido que la liberó, le compró un pasaje para que regresase a casa y le dio dinero para comer en el camino. Lo cuenta todo con la cabeza hundida entre los hombros, sintiéndose avergonzada y sucia, incapaz de mirar a nadie, deseando morir. Habla en voz muy baja, lento, las palabras le duelen en la boca. Braulio la escucha muy serio, reclinado contra la puerta, en silencio, con los brazos cruzados. Cuando termina, Lindaura se quiebra en una serie de hipos y espasmos que Eulalia intenta contener abrazándola. Braulio la mira. Se la llevaron siendo una niña y le devolvieron una vieja arruinada. Se siente un Judas, él mismo la entregó por doscientos pesos. El remordimiento es una piedra en su cerebro. Toma aire profundamente y sale al atardecer del patio, al frío que no puede sentir. Mira las rejas puntiagudas desparramadas por el suelo y comprende: no hay barrote que pueda protegerlo de la pobreza, del desamparo de la miseria, del canibalismo. Siente la inutilidad de todos los esfuerzos que hace día tras día para no caer, para mantener a su familia en pie; la frustración de su deseo de progreso, de cambio, de mejora. Siempre se vio a sí mismo como una herramienta. Orgulloso, solía llevar a sus hijos a ver los edificios que él había ayudado a construir y que ellos jamás habrían de habitar. Ahora no le quedan más que la impotencia y la rabia. Ya nada importa. Ido, toma uno de los hierros y sale a la calle. Comienzan a aparecer las estrellas. Braulio no las ve, es un autómata que anda paso a paso hasta que llega a su destino.

Chini conversa con un vecino y sonríe al verlo acercarse, pero el semblante feroz y el brazo armado de Braulio alzándose le congelan la sonrisa. Levanta los brazos en actitud defensiva. El primer fierrazo se los quiebra. El segundo se incrusta en su cabeza, el tercero se la parte, el cuarto, el quinto, el sexto, el séptimo... Braulio lo contempla ya cadáver. Suelta la barra, que cae roja y húmeda a sus pies. No siente nada. Se vuelve y retoma su andar automático. Vaga sin rumbo durante horas, perdido, extrañado. Alrededor de las diez de la noche, entra en la comisaría, se entrega y confiesa.

41

El Clásico es el café preferido de Lascano desde hace...
¿cuánto?... Treinta años, tal vez más. Debe de ser el único de
Buenos Aires que conserva el «reservado familias». A pesar de
su título, nunca fue habitual ver allí a papá, mamá y los dos
chicos. Por lo común sus mamparas de madera terciada, rema-
tadas en vidrios de serpenteante filigrana, albergan a parejas su-
surrantes. Paso previo al hotel alojamiento de quienes andan de
trampa, confesionario de infidelidades, escenario de rupturas
y lágrimas, de promesas incumplidas, de discursos ensayados
para seducir a la piba que mira al suelo y se sonroja, o a la que
sabe y quiere, pero da largas por consejo de la amiga. El «reservado» es el auditorio ideal para amores y desamores. El Perro
nunca fue allí. Sentado junto a la ventana, revuelve el café a la
espera de que pase el violento chaparrón. Ramón, el propieta-
rio, apoya su mano sobre el mostrador sin soltar el trapo con el
que mecánicamente lo estuvo repasando, y mira la calle a través
de los cristales húmedos de la puerta vaivén. Es tan viejo como
la registradora metálica, como los ceniceros Gancia de chapa
estampada gastados por décadas de pulido. El hombre viene
resistiendo valientemente las sucesivas y tentadoras ofertas de
compra por parte de las grandes cadenas, que transformarían el
Clásico en uno más de esos cafés adocenados de plástico pretencioso. El lugar está condenado a desaparecer en cuanto sus
hijos se conviertan en herederos. La lluvia se calma, ahora es
un velo tímido que envuelve la ciudad. Las gentes abandonan
los umbrales para seguir su camino. El camarero, de chaqueta

blanca y pajarita, deja el agua helada y el pocillo humeante sobre la mesa. Lascano le echa azúcar, revuelve, saca la cuchara y, cuando se lo lleva a la boca, la ve. La mujer que lo está mirando, quieta en la esquina, arropada por su impermeable, es muy parecida a Eva. Hace años que el Perro viene viendo mujeres que a él le parece se le asemejan. Tanto que ya no lo sorprende ni lo moviliza. Bebe el café. Ella sonríe, entra decidida, se planta frente a él y señala la silla vacía.

¿Puedo?

Azorado, al ponerse de pie, Lascano vuelca la jarrita del agua. Eva da un paso atrás para evitar ser salpicada. El camarero acude y se interpone entre ellos para enjugar la mesa. Se miran, él sin lograr salir del asombro, ella con una espléndida sonrisa. El hombre termina el aseo. Lascano le hace un gesto a Eva invitándola a tomar asiento. El camarero recoge el pocillo y la jarra.

¿Le sirvo algo? Un cortado, por favor, liviano. Marcha.

Se miran, el Perro sacude la cabeza.

Usted nunca deja de dar sorpresas. ¿Te molesto? De ninguna manera, discúlpeme pero voy a tardar un poco en reponerme. ¿Cómo estás? Aquí me ve, un poco más viejo, más pelado y más gordo, pero bien. Se te ve bien. Gracias, a usted también. ¿Seguís en la Federal? Me jubilaron. ¿Eso es bueno? La verdad, no lo sé, no creo. ¿Y usted, de visita en Buenos Aires? No, volví. ¿Se cansó de Brasil? En el momento en que me enteré de que estabas vivo, regresé, tenía que verte. ¿Y Fuseli? Se quedó, Antonio tiene el alma brasilera. Entiendo. ¿Cómo sabés que estaba en Brasil con Antonio? Cometí la imprudencia de ir a buscarla. Es evidente que me encontraste. Sí.

El rostro de Eva pasa de la sonrisa a la ira. El camarero se aproxima y le sirve el café. Silencio. Lascano se acoda en la mesa y apoya el mentón en su mano. Eva aparta el pocillo, no quiere que nada se interponga en sus palabras.

¿Y no se te ocurrió acercarte, aparecer? Los vi desde lejos, en la terraza de la barraquinha. *Se los veía tan bien, tan amorosos, que no quise interferir. ¿Sabés una cosa?, a veces la discreción se parece a la estupidez. ¿Cómo? No tenés idea de lo que fueron estos años de angustia, creyendo que estabas muerto. Día tras día, noche tras noche. Su mamá lo sabía, ella fue la que me dio su paradero, pensé que de todos modos se iba a enterar. No me lo dijo. Pensó que era hora de que yo dejara de frecuentar gente peligrosa. ¿Yo soy peligroso? Como una navaja. Bueno, con Fuseli y su hija no me pareció tan infeliz. Antonio terminó enamorado de mí, me sostuvo en todas mis nostalgias, en todos mis sufrimientos por vos. No me extraña, siempre fue un tipo solidario como nadie. No quiero pensar en la amargura que le debía de producir ver a la mujer amada llorando por otro amor. Fuseli no es ningún tonto, sabía a lo que se exponía. ¿Y qué, acaso el conocimiento mitiga el dolor? Seguramente no, pero nos da la certeza de que la responsabilidad es exclusivamente nuestra. Pensándolo bien, eso quizás lo empeore. Antonio es un amigo leal al que nunca voy a estar suficientemente agradecida. ¿Amistad colorida, como dicen en Brasil?*

Eva se apoya en el respaldo, se arregla un mechón de cabello que le cayó sobre la cara, cruza los brazos con impaciencia y mira por la ventana.

¡Ah, hombres! ¡Siempre preocupados por la competencia! No es mi caso, ya ve que me aparté. No me vengas con cuentos, eso lo hiciste para protegerte vos mismo. No te animaste a enfrentar la posibilidad de que yo lo hubiera preferido a él. Es probable que tenga razón, pero lo hecho, hecho está. Claro, porque el señor seguro que no tuvo ninguna aventura en todo este tiempo. Lascano, escuchame bien. El sexo no deja huellas, no en mi caso al menos, y espero que tampoco en el tuyo. Sigo siendo la misma persona. ¿Usted cree? En la historia de toda mujer hay un hombre que la deja marcada. De algún modo, siempre será de él, no importa cuántas parejas tenga después. ¿El amor de tu vida? Si querés llamarlo de la manera más cursi... Pero, enterate, para mí ese hombre sos vos. Y, aunque no lo

digas, yo lo puedo escuchar, vos tampoco me pudiste olvidar. ¿Dígame, qué hago yo con eso? Lo que puedas. ¿Qué quiere, Eva? ¿Todavía tenés el sofá rojo? Todavía lo tengo. Entonces me gustaría que me invitaras a tu casa.

Eva entra y se detiene en medio de la sala. Envuelta en un encanto, recorre la habitación con la vista, aspira el aroma de Lascano que permea cada mueble, cada objeto. Lascano se detiene en el vano de la puerta. El suelo está sembrado de folletos que ofrecen tarjetas de crédito, seguros de vida, automóviles a plazos, viajes y planes privados de salud. Con el cuidado propio de quien anda por un campo minado, pasa por encima de la correspondencia, la empuja al pasillo con el pie y cierra con llave preguntándose cómo es que se enteraron tan pronto. Eva no se vuelve, le basta con el sonido.

La puerta siempre con llave. El zorro pierde el pelo...

Eva gira, se sienta sobre el brazo del sofá rojo y lo fulmina con una mirada en la que relampaguea la provocación. Lascano se siente confundido, no sabe qué hacer. Eva se levanta, con dos pasos está junto a él, frente a frente. A la defensiva, el Perro alza las manos.

Escúcheme, no sé si... Lascano, haceme el favor de callarte.

Lo toma por las solapas, le quita la chaqueta y la deja caer. Lo abraza por la cintura, lo aprieta contra su cuerpo y acerca su cara a la suya. El Perro la toma con un brazo y con la otra mano sujeta su nuca y lleva la cara de ella a anidar en su cuello. Hunde su nariz en el pelo de ella. El aroma a Eva vuelve a inundarlo. Quietos. En silencio. Los cuerpos pegados, contenidos, intercambiando sensaciones, curvas, pliegues, añoranzas viejas y renovadas. Ella se mueve apenas, pero esa levísima variación es el agujerito que finalmente hace estallar el dique, desata el torrente de caricias, lenguas y manos que los desnudan y los voltean entre suspiros en el famoso sofá. El pasado queda atrás, se destruye, se despedaza, se diluye y se revierte. No hay nada más que el presente. Apretados en la brevedad de ese mueble, sienten que su pasión demanda espacio. Lascano se despega de Eva para levantarse, la toma por la muñeca y la conduce hacia la habitación. Su sexo adelante, erguido, señala el rumbo y el destino. Dejan de ser recuerdo, ahora son amantes en pleno ejercicio de sus facultades y atribuciones. Abolidas la distancia y el pudor, Eva se abre al Lascano, que se precipita sobre su cuerpo y, al tiempo que sus ojos se zambullen en los de él, toma su sexo, se lo clava, lo suelta y sus manos van a los glúteos para apurar la penetración. Rápida, un tanto dolorosa, pero tiene urgencia por sentirlo todo, entero, hasta el fin. Hay palabras atropelladas, confusas, sucias de amor, que se atienden pero no se entienden. No interesa, lo que importa es la música. Giran, ahora lo cabalga ella, con ambición, con prisa, con furia. Giran nuevamente. Eva se aferra con fuerza a los barrotes del cabecero, le abraza la cintura con las piernas, cierra los ojos y se pierde.

Sí, dice, *sí, sí.*

Estrujado, también él se pierde y se derrumba entre una mezcla de jadeos. Sale, se despega, se ubica a su lado, se toman de las manos, descanso. Mareados, hiperventilados, serenos, casi dormidos. Eva se revuelve, lo abraza, se adhiere a su cuerpo y lo besa. Se miran, se invitan.

¿Otro?

Esta vez es meditado, cuidado, medido, *in crescendo* lento, deliberado, sin apuro y sin pausa.

Anochece. Lado a lado, los dos sienten que vuelven a ser quienes alguna vez fueron y extrañaron. Reunidos, sucumben a la ilusión de que así todo es posible. Lascano sale de sus pensamientos.

Tengo algo que decirle. Te escucho. Soy rico. Ya me di cuenta. No, en serio, hablo de dinero. Me estás jodiendo. De verdad.

Eva se sienta en la cama y lo mira con seriedad.

¿Y cómo fue que te hiciste rico? Una prima millonaria. Murió, y como se quedó sin herederos, me dejó todo. ¿De verdad? Sí, es más dinero del que podría gastar en lo que me queda de vida. Y después decís que yo soy la que da sorpresas. Más sorprendido estoy yo. Esto nunca me lo esperé. Bueno, disfrutalo, es más tarde de lo que creemos. Voy a necesitar ayuda, no tengo idea de lo que hay que hacer con tanta plata. ¿Se te ocurre algo? Así... tan de repente... no sé... creo que lo mejor es que te financie una vida aburrida. ¿Aburrida? Sí, vos viviste siempre en peligro, lleno de sobresaltos, con la gente más jodida de la sociedad. Estás vivo sólo porque tenés más culo que cabeza. ¿En qué consiste entonces esa nueva vida? Casa, familia, algún viaje, preocuparse por la juventud descarriada, buena comida, un hobby y, sin apuro, prepararse para la partida. ¿Es una proposición? Puede ser, me gustaría que conocieras a Victoria. A mí también... Con el uno por ciento de lo que recibí sobra para todo eso. Bueno, tendrás que pensar qué hacer con el resto.

Silencio. Eva se estremece y vuelve a acostarse. Lascano se levanta, toma la manta del suelo y la tapa. Desnudo, se apoya a los pies de la cama. Ella lo mira, y bajo esa mirada llena de chispas, Lascano se siente bello, joven, inspirado, casi un poeta.

El otro día anduve por el Barrio Norte. Una de esas tardes deliciosas que a veces hacen que Buenos Aires se merezca su nombre. Era la hora de los muertos vivos. Es cuando las enfermeras sacan a pasear a los viejos decrépitos de las familias ricas. Elegantes, aseados, con esa mirada transparente de aquellos a quienes sólo la química de última generación mantiene de este lado. Iban amarrados a sus avanzadas sillas de ruedas, boqueando absortos, preguntándose tal vez si todavía estaban vivos. En cambio en las villas miseria no hay viejos. Sólo jóvenes y niños. Allí la gente muere muy temprano.

42

El sol se suaviza con la llegada del otoño. Hay una incongruencia cómica en el aspecto de Rodríguez. Su afeitado al ras y el peinado con la gomina de siempre no combinan con su atuendo: bermudas, sandalias y remera Lacoste. Se concentra en la parrilla, donde se asan lentamente dos buenos trozos de vacío, media docena de los magníficos chorizos con uva del mercado de Avellaneda y una sarta de morcilla vasca. Con la pinza larga de asar coloca los morrones rojos atrás, donde el fuego menos intenso ira quemándoles la piel para pelarlos luego con facilidad y servirlos con una picadita de ajos, sal y aceite de oliva. Toma el atizador, se inclina, machaca unas brasas con leves golpecitos y las esparce meticulosamente bajo la carne que chirría sus jugos. Oye una voz a sus espaldas.

Salud, jefe.

Deja el hierro y se vuelve. Por el caminito de piedra se acerca Pedro. Bronceado, sonriente e impecable en sus jeans planchados con raya, relucientes los mocasines con estribo, tensa la camisa New Man celeste, negras las gafas de sol que ocultan sus ojos, refulgente el Rolex de oro colgado de la muñeca.

Hola, Pedrito.

Rodríguez mira por encima del hombro de Pedro.

¿Y la patrona? Se quedó en la cocina con su señora ayudándola con las ensaladas. *Dale, servite unos vinos.*

Pedro toma una botella de la caja de seis y lee la etiqueta.

¡Epa!, Catena Zapata 2001. Cuarenta por ciento Cabernet, treinta Merlot, treinta Malbec. La vida es una sola, Pedrito.

La destapa, la deposita sobre la mesa, huele el corcho y la deja unos minutos para que se airee. Rodríguez lo observa con picardía.

Sabe de vinos el comisario. Un poco.

Pedro le echa una ojeada a la parrilla.

¡Qué paisaje!, parece que el asado no tiene secretos para usted.

Rodríguez sonríe orgulloso.

Quizás te parezca mentira, pero éste es uno de los placeres más grandes que tengo en la vida. Mirá esta carne. La mejor del mundo, che. La verdad es que pinta no le falta. Esperá a probarla y vas a ver lo que es bueno. Yo viajé por todas partes, y en ningún lugar encontré carne de esta calidad. En esto somos los campeones del mundo. En esto sí, pero en otras cosas... Y bueno, es una cuestión de cultura. Si te ponés a comparar con Europa o Norteamérica, salimos perdiendo. Allá hay otra conciencia, las cosas se hacen como Dios manda. Acá todavía estamos en pañales. Pero te digo que si entendés cómo son las reglas del juego, las verdaderas, no las que les contamos a la chusma, el caos y la desorganización te permiten un margen de maniobra que en otros países no tenés.

Pedro sirve vino en dos copas, le da una a Rodríguez, toma la otra y la alza.

Por el caos, entonces.

Rodríguez hace chocar las copas.

También tenemos que brindar por tu desempeño. Te felicito, manejaste con la prensa el tema del tiroteo del boliche como un maestro. No salió barato, se lo aseguro. Depende de cómo lo mires, nos podría haber costado carísimo. Lo cierto es que ahora está todo tranquilo y podemos volver a los negocios.

Los hombres festejan la ocurrencia alzando las copas, bebiendo y riendo. En la cocina, Carmen los mira por la ventana.

Parece que los muchachos lo están pasando bien.

Orelia, la mujer de Pedro, levanta la vista. Por el caminito, precedido por la mucama, un hombre trajeado se acerca a la parrilla.

¿Y ese bombón? Ah, debe de ser el tipo que invitó mi marido. Está para comérselo.

Rodríguez se adelanta a saludar al recién llegado, le estrecha la mano, lo toma por el brazo y camina con él hasta el quincho, donde Pedro aguarda con toda formalidad.

Pedro, quiero que conozcas a nuestro nuevo socio.

Los hombres se saludan mirándose seriamente a los ojos. Rodríguez les apoya las manos en los hombros.

Te presento a Gustavo Andrés Camacho Orijuela.

Camacho sonríe apenas. Rodríguez palmea a Pedro.

El comisario es mi hombre de confianza en la fuerza.

Pedro hace sonar los talones.

Para servir y proteger.

Obras de Ernesto Mallo
publicadas en Ediciones Siruela

Crimen en el Barrio del Once (2011)

El policía descalzo de la Plaza San Martín (2011)

Los hombres te han hecho mal (2012)

Últimos títulos publicados